J'apprends le yoga

ANDRÉ VAN LYSEBETH

J'apprends le yoga

Préface de Jean Herbert

Bienêtre

Préface

*On oublie trop souvent que le Hatha-Yoga est avant tout un yoga.
Le terme yoga, étymologiquement apparenté au français « joug »,
que l'on retrouve dans « conjugal » a deux acceptions principales,
d'ailleurs étroitement liées. L'état de yoga est celui dans lequel
l'homme est « sous le même joug » que le Divin, c'est-à-dire lié au
Divin, idée qu'exprime le mot français « re-ligion » ; dans une légère variante, il exprime l'état où « l'homme apparent » est de
même lié à « l'homme réel », c'est-à-dire a recouvré sa vraie nature
et vit conformément à elle. La technique du yoga est une discipline, quelle qu'elle soit, par laquelle l'homme s'efforce de parvenir à
l'état de yoga.*

*Selon les conceptions hindoues, toute technique, poursuivie avec
assiduité et concentration, peut conduire au niveau supérieur de
conscience qui correspond à l'état de yoga. On peut ainsi parler du
yoga de l'art, du yoga de la science, du yoga de la grammaire, du
yoga de l'amour, du yoga de la méditation, etc. Mais, pris comme
tel, chaque yoga comporte une discipline rigoureuse et précise.*

*Traditionnellement, on envisage quatre yogas principaux : le
yoga de la recherche intellectuelle poussée jusqu'au delà des limites
mentales habituelles (Jnâna-yoga)* (1)*, le yoga de l'amour dirigé
vers le Divin à travers soit une image du Divin, soit un objet ou
une personne quelconque en qui l'on voit le Divin (c'est le Bhakti-*

---

(1) *Cf.* Swâmi Vivekânanda, Jnâna-Yoga *(Paris, Albin Michel).*

yoga), le yoga de la concentration intériorisée (Râja-yoga) et le yoga de l'action détachée de ses résultats, faite plus ou moins directement pour le Divin (Karma-yoga) (²).

Si distincts l'un de l'autre que soient ces quatre yogas, ils ne sont pourtant pas entièrement séparables. Les grands sages ont toujours souligné d'une part que lorsqu'on suit l'un d'eux il est, le plus souvent, pour le moins dangereux de déroger aux règles fondamentales de l'un quelconque des autres, et d'autre part, que tous finissent par se rejoindre. Le pur bhakti-yogi acquiert sans le chercher la connaissance suprême qui est le but du Jnâna-yoga; le pur jnâna-yogi aboutit à l'amour suprême (para-bhakti) que cherche le bhakti-yogi (³), une pratique intense du Râja-yoga est plus ou moins indispensable dans tous les autres yogas (⁴), et le Karma-yoga peut atteindre une telle totalité que le plus grand maître de l'Inde moderne, Shri Aurobindo, y a vu le yoga intégral, c'est-à-dire qui embrasse tous les yogas (⁵).

Lorsqu'on parle de la pratique d'un yoga particulier, on n'envisage donc pas l'exclusion des autres, mais on entend que le yoga en question fournit à celui qui s'en réclame une sorte de directive centrale autour de laquelle s'articulent les autres.

Ce qui en rend les contours encore moins nets, c'est non seulement que chaque yoga comporte un nombre illimité de variantes, mais aussi que chaque maître enseigne une technique de sa propre composition, généralement celle qu'il a suivie lui-même, et dans laquelle sont savamment dosés des éléments puisés dans divers yogas.

En plus de ces quatre grands yogas et de leurs diverses variantes et combinaisons, il existe d'autres yogas classiques parmi lesquels on doit citer le Mantra-yoga, le Japa-yoga (⁶), le Laya-yoga et les autres yogas tantriques, l'Agni-yoga et le Hatha-yoga, celui aquel

---

(²) *Cf. Swâmi Vivekânanda,* Les yogas pratiques *(Bhakti, Karma, Râja) (Paris, Albin Michel).*

(³) *Cf.* L'Enseignement de Râmakrishna *(Paris, Albin Michel), §§ 1167-1199.*

(⁴) *Cf.* L'Enseignement de Shivânanda *(Paris, Albin Michel).*

(⁵) *Cf. Shrî Aurobindo.* Le Guide du yoga *(Paris, Albin Michel).*

(⁶) *Cf. Swâmi Ramdâs,* Carnet de Pèlerinage *(Paris, Albin Michel).*

on pense maintenant le plus souvent en Occident lorsqu'on parle de « yoga ». Tous peuvent être soit pratiqués plus ou moins isolément, soit jouer un rôle plus ou moins important dans des yogas individuels composés.

Bien qu'un véritable maître (gourou) n'accepte jamais comme disciples que des candidats pour qui il considère en toute objectivité que son propre yoga est celui qui leur convient le mieux, il faut relever que les plus grands maîtres, ceux qui sont eux-mêmes parvenus au point culminant de l'évolution spirituelle, font suivre à chaque disciple, et à chaque moment de son entraînement, la discipline particulière la mieux appropriée [7].

C'est du Hatha-yoga que traite le présent ouvrage. Au début, envisagé simplement comme complémentaire du Râja-yoga, le Hatha-yoga eut une vie indépendante dès une antiquité probablement assez reculée. Si les grands classiques Hatha-dipika, Siva Samhita, Goraksha Samhita, dont les plus anciens remontent au XIIIe siècle l'envisagent encore plus ou moins comme une aide à la pratique des autres yogas, le yoga du corps physique (Ghatastha-yoga) prit vite une grande importance. Bien qu'ayant évidemment ses racines dans le cadre de l'Hindouisme, il est depuis longtemps pratiqué dans l'Inde par les adeptes des autres religions (sikhs, jaïns, parsis, musulmans) parfois sous un autre nom. Son but est généralement désigné par l'expression nadi shuddhi, par quoi les yogis entendent essentiellement la vitalisation du corps et la purification du système para-nerveux que constituent les nadis.

Au moins autant que n'importe lequel des autres yogas, le Hatha-yoga est susceptible d'applications variées et présente en lui-même un nombre considérable de variantes. Il comporte une partie physique et une partie mentale.

La partie physique du Hatha-yoga se compose essentiellement de deux éléments, les postures (âsanas) et les respirations dirigées (prânayama). Mais la partie mentale joue un rôle déterminant, dont dépend dans une large mesure l'effet obtenu par les pratiques physiques ; de nombreux Occidentaux font la grave erreur de ne

[7] Cf. Shrî Aurobindo, Lettres (Paris, Adyar), 3 vol.

pas lui faire la part qui lui revient.

Pratiqué isolément ou comme élément prépondérant dans un yoga individuel composé, le Hatha-yoga peut, au dire des plus grands spécialistes hindous, suffire à conduire le yogi aux paliers les plus élevés de l'évolution spirituelle. Il y a toujours eu, et il y a encore de nos jours, dans l'Inde, de très grands sages qui n'ont guère suivi d'autres disciplines. Ils vivent en général très retirés, souvent dans des jungles ou des montagnes à peu près inaccessibles au commun des mortels, et ils n'acceptent que de très rares disciples, ceux en qui ils ont discerné la capacité de se soumettre à des pratiques invraisemblablement ardues, pleines de périls de toutes sortes, et dans lesquelles ce serait pure folie de vouloir se lancer sans être suivi et dirigé de jour en jour, sinon d'heure en heure, par un très grand maître. Ce Hatha-yoga intégral n'est donc pas pour les Occidentaux, et ses représentants qualifiés n'ont d'ailleurs jamais commis la fatale imprudence d'en consigner les enseignements par écrit, sinon dans des textes rigoureusement hermétiques et inutilisables. En outre, ce Hatha-yoga intégral est normalement — peut-être même toujours — pratiqué dans le cadre de la religion hindoue, c'est-à-dire qu'il se propose pour but l'union ou la fusion avec l'un des dieux du panthéon hindou, souvent Shiva ou l'une de ses Shaktis (8).

Par contre, les premiers éléments du Hatha-yoga pris comme discipline accessoire, sont couramment utilisés dans l'Inde, non seulement par ceux qui pratiquent un autre yoga à titre principal pour atteindre des plans supérieurs de conscience, mais aussi par ceux qui veulent simplement en recueillir les avantages physiques et mentaux sans y attacher le souci d'une évolution religieuse ou spirituelle, générale ou particularisée.

Ce sont ces premiers éléments que des Occidentaux de plus en plus nombreux pratiquent maintenant soit sous la direction de professeurs plus ou moins expérimentés, soit sur la base d'un livre illustré de croquis ou de photographies.

Le profit que peut procurer une pratique régulière des techniques

(8) Cf. Shankara, **Hymnes à Shiva** (Lyon, Derain).

8

les plus élémentaires du Hatha-yoga est tellement disproportionné à l'effort exigé que ce yoga s'est répandu en Occident comme une traînée de poudre. Les publications faites à son sujet sont légion, les écoles qui ont la prétention de l'enseigner ne se comptent plus. Beaucoup des unes comme des autres justifient la plus profonde méfiance, et le profane confiant a de grandes chances de mal tomber. Même les exercices les plus faciles et apparemment les plus inoffensifs ne sont pas exempts de dangers. Ce qui est plus grave encore, c'est que les résultats encourageants obtenus en peu de temps au prix de peu d'efforts poussent le débutant à se gausser des conseils de prudence et de modération qui lui sont prodigués et à se lancer rapidement dans des techniques périlleuses qui risquent de provoquer des troubles graves dans les systèmes respiratoire, circulatoire et nerveux.

Pendant plus de trente ans, j'ai essayé d'obtenir que de grands maîtres hindous du Hatha-yoga décrivent pour les Occidentaux les exercices que ceux-ci pourraient faire avec profit et sans danger, en précisant toutes les précautions nécessaires. Aucun de ces maîtres n'a eu suffisamment confiance dans les Occidentaux pour accéder à ma prière.

Le livre d'André Van Lysebeth, me paraît être ce qu'un Occidental a fait de mieux jusqu'ici pour combler cette lacune. Il a eu la sagesse de se proposer un but limité, la description très détaillée de quelques-unes des postures principales et de la façon de les prendre, avec ce qui est de la plus haute importance et qu'à ma connaissance aucun Occidental n'avait fait avant lui : un exposé minutieux des effets physiologiques et autres qu'a la pratique de ces postures, le profit qu'on en peut tirer, les dangers qu'il faut éviter, les contre-indications, etc.

Je crois que l'on peut avoir confiance dans ce livre, et je souhaite qu'André Van Lysebeth le complète par d'autres ouvrages, où il décrira dans le même détail et avec les mêmes précautions divers autres exercices du Hatha-yoga.

Jean Herbert

mot liminaire

Ce livre a l'ambition de vous présenter une étude plus précise et fouillée que ce qui a été publié à ce jour. Jusqu'à présent, même les meilleurs ouvrages se sont bornés à reproduire une photo de la posture finale, rarement une phase intermédiaire. Les indications quant à la technique des poses, leurs variantes, la durée, l'ordre dans lequel elles doivent s'insérer dans une série d'âsanas, la façon de respirer, l'endroit où concentrer le mental, les effets, etc., sont fragmentaires. L'adepte occidental qui n'a pas l'occasion de vivre dans un ashram à côté de son gourou doit tâtonner, butiner de nombreux ouvrages (lesquels se copient souvent les uns les autres !), pour rassembler des bribes éparses, afin de reconstituer laborieusement la technique correcte.

On peut ergoter sur l'opportunité de publier sans discrimination et invoquer à l'appui d'une attitude ésotérique en ce domaine, le fait que depuis des millénaires le yoga s'est transmis de bouche à oreille, de Maître à disciple, sous le sceau du secret, et qu'il faut respecter ce désir des Maîtres de réserver le yoga à des adeptes triés sur le volet. Je suis convaincu que d'innombrables Occidentaux ont besoin du yoga, surtout du hatha-yoga, quoique le nombre des adeptes « mûrs » pour le yoga mental et autres formes du yoga soit beaucoup plus élevé qu'on ne l'imagine. Pourquoi ne pas leur transmettre les précieuses techniques mises au point par les Rishis ? Tout ceci indépendamment du fait que le mal — si mal il y a — est fait depuis belle lurette ! En yoga, plus qu'ailleurs, les demi-vérités sont néfastes : si on prend la responsabilité de le divulguer, qu'on donne alors des renseignements complets et non des miettes. Si l'on ne donne pas TOUS les détails nécessaires pour pratiquer correctement il vaut mieux se taire. Or, à ma connaissance, une telle étude exhaustive n'a pas été entreprise.

Une âsana yogique est une mécanique de précision et l'à peu près est une monnaie qui n'a jamais cours en yoga. Une erreur de détail, infime en apparence, peut amputer l'exercice d'une fraction importante de ses effets, et même, dans certains cas, aller à l'encontre du but poursuivi.

Cette étude intéresse autant ceux qui pratiquent déjà et pourront ainsi contrôler leur technique, que les débutants qui n'ont pas l'occasion de suivre un cours. Je me propose donc, chère lectrice, cher lecteur, d'étudier ensemble une pose à la fois.

D'ici peu, vous posséderez à fond la technique exacte des grands classiques du yoga et vous retirerez de leur pratique tous les bénéfices et les joies que procure le yoga bien fait. Votre séance quotidienne deviendra non pas une corvée, ni une routine, mais le meilleur moment de la journée, attendu avec impatience, si tant est qu'un aspirant yogi soit autorisé à manifester de l'impatience !

Chaque âsana comporte des paliers de difficulté croissante ; je baserai mon étude sur la moyenne, sur ce qui est accessible en quelques semaines à la plupart des Occidentaux.

Les débutants, grâce aux indications précises, pourront éliminer sans peine les obstacles du début. A l'intention des élèves avancés je décrirai chaque fois une variante plus poussée : ainsi, chacun y trouvera son compte.

LES SOURCES

Recueillie sur place pendant mes séjours en Inde, chaque étude apporte la synthèse de l'enseignement de l'ashram de Swami Sivananda de Rishikesh, du Vishwayatan Yogashram de Delhi, dirigé par Dhirendra Bramachari, du hatha yogi Srikantarao, de l'Astanga Yoga Nilayam de Mysore, du Kaivalyadhama Samhiti de Lonavla. A tout cela j'ajoute le fruit de mon expérience personnelle accumulée en 45 ans de pratique ininterrompue et d'enseignement du yoga en Occident. Ainsi j'ai pu noter les difficultés que l'Occidental rencontre en cours de route et les erreurs qu'il risque de commettre. Lisez et relisez les descriptions des mouvements, examinez et réexaminez les photos : il vous arrivera souvent de remarquer un détail qui vous avait échappé à la première lecture et en yoga il n'y a pas de détails « insignifiants ».

l'homme moderne
et le yoga

Notre époque est fantastique !

Jamais l'humanité n'a connu une évolution aussi explosive. Nos réalisations surpassent les rêves de nos ancêtres. Icare est éclipsé par nos astronautes. Nos savants vont au cœur de l'atome arracher les secrets les mieux gardés de la nature et domestiquent l'énergie nucléaire. Notre existence ressemble à un conte de fées, comparée à celle des siècles précédents. Quel dommage que nous soyons blasés !

Il est banal de survoler le pôle nord, confortablement installé dans un fauteuil, tandis que sous la banquise un sous-marin atomique croise peut-être. Et dans l'avion... nous dormons !

Sans remonter aux Gaulois, songez à l'émerveillement de Louis XIV s'il avait pu voir un poste de TV, ou même un simple baladeur !

Enfants gâtés, nous nous plaignons s'il arrive que les images transmises via les satellites sont un peu floues.

L'usage de la voiture est devenu si commun que nous trouvons tout naturel de nous déplacer à 140 km par heure sur nos autoroutes.

Nous formons un numéro sur un cadran et à l'autre bout du fil, à des centaines de kilomètres, voire même à des milliers de kilomètres, une voix aimée nous répond. A moins que ce ne soit celle du contrôleur des contributions ! Nous côtoyons tant de miracles quotidiens que nous trouvons cela normal et ordinaire, que plus rien ne nous émeut. Grâce à nos savants, ingénieurs et techniciens, il règne dans nos maisons chauffées automatiquement une température toujours uniforme. Bien vêtus, bien nourris, nous vivons dans le luxe. Les industriels, attentifs à nos moindres désirs, créent pour notre confort et notre plaisir, des infinités de « gadgets » destinés à nous rendre la vie de plus en plus facile et agréable. Ils nous inventent même de nouveaux besoins... Bref, un paradis terrestre comparé à la préhistoire. L'âge d'or !

MAIS, IL Y A UN MAIS...

Observons la foule anonyme qui défile dans nos rues encombrées. Regardez ces visages mornes, soucieux, ces traits fatigués que n'éclaire aucun sourire. Voyez ces dos voûtés, ces thorax étriqués, ces ventres obèses. Sont-ils heureux, tous ces civilisés ? Ils n'ont plus faim, ni froid, la plupart tout au moins, mais il leur faut des pilules pour dormir, des comprimés pour évacuer leurs intestins paresseux, des cachets pour calmer leurs migraines et des tranquillisants pour supporter l'existence. Coupés de la nature, nous avons réussi ce tour de force de polluer l'air de nos cités, nous nous sommes enfermés dans des bureaux et nous avons dénaturé la nourriture. Le dur combat pour l'argent a endurci nos cœurs, imposé silence à nos scrupules, perverti notre sens moral. Les maladies mentales font des ravages chaque jour plus étendus, tandis que les maladies de dégénérescence, cancer, diabète, infarctus, se multiplient et opèrent des coupes sombres dans nos élites. La dégénérescence biologique s'accentue à une cadence effrayante qui ne semble « effrayer » personne et que nous ne remarquons même pas. Des statistiques rassurantes nous disent que nos chances de survie ont augmenté de x années mais, inconscients, nous ne nous rendons pas compte que nous dilapidons en quelques générations un patrimoine héréditaire accumulé depuis des centaines de milliers d'années. La civilisation, en supprimant la sélection naturelle, permet la multiplication d'individus tarés tandis que, conséquence du confort, l'homme ne fait plus appel à ses mécanismes d'adaptation et de défense naturels et se débilite.

Comment stopper cette dégénérescence ?

Notre médecine même, pourtant en progrès constants, reste impuissante. Elle a cependant acquis un capital de connaissances qui suscitent notre admiration légitime et notre fierté. Elle a éliminé des fléaux tels que la peste, la variole, la diphtérie pour ne citer que ceux-là. Elle nous offre, outre les antibiotiques, tant d'autres remèdes efficaces et en découvre chaque jour. Nos chirurgiens accomplissent des prodiges quotidiens : pensons aux opérations à cœur ouvert !

Mais tout cela ne suffit pas.

Au contraire, les progrès mêmes de la médecine donnent aux civilisés une fallacieuse impression de sécurité. Ils se croient tout permis, aucun excès ne les effraie, rien ne les arrête. Devient-on malade ? Il « suffit » d'aller chez le toubib : à lui de réparer les dégâts et en vitesse puisque c'est son métier et qu'il est payé pour ça. Ils refusent d'accepter le fait que leur façon de vivre erronée cause la plupart de leurs maux et qu'aussi longtemps qu'ils ne consentiront pas à la modifier, les médecins, malgré leur science et leur dévouement, ne pourront leur assurer qu'une santé précaire entre deux maladies. Une « civilisation » qui aboutit à la dégénérescence de l'espèce et des individus sans même leur procurer un semblant de bonheur, doit être considérée en faillite.

Prisonniers de la civilisation, que pouvons-nous contre ce rouleau compresseur ? Renoncer à notre science, à notre technique, à notre vie civilisée ? Dynamiter les usines, brûler les livres, enfermer les scientifiques et les techniciens, retourner dans les cavernes et forêts de la préhistoire ?

Impossible. Inutile. D'ailleurs, nous avons le droit d'être fiers de notre science et de nos réalisations. Nous ne devons pas renoncer à la civilisation ; il faut, au contraire, bénéficier au maximum de ses avantages tout en cherchant à en éliminer les inconvénients.

UN REMEDE : LE YOGA

La solution passe nécessairement par l'individu.

On se dit : « Que représente l'individu isolé, quelle importance a-t-il face à la masse ? » Peu de chose, en apparence. Mais la situation ne peut s'améliorer, le problème ne peut se résoudre que si chacun s'astreint à une discipline personnelle dont le yoga constitue sans aucun doute la forme la plus pratique, la plus efficace, la mieux adaptée aux exigences de la vie moderne. « Si tu veux changer le monde, commence par te changer toi-même ». Grâce au yoga, le civilisé peut retrouver la joie de vivre. Le yoga lui donne la santé et la longévité par les âsanas qui rendent la souplesse à la colonne vertébrale, notre axe vital, calment les nerfs surexcités, relaxent ses muscles, vivifient ses organes et ses centres nerveux. Le prânayama (exercices respiratoires) apporte de l'oxygène et de l'énergie à chaque cellule, décrasse l'organisme en brûlant les déchets, expulse les toxines, tandis que la relaxation lui permet de préserver l'intégrité de son système nerveux, le prémunit contre la névrose, le délivre de l'insomnie.

18

Pour l'adepte du yoga, prendre soin de son corps est un devoir sacré.

Le yoga affirme qu'il est facile de rester en bonne santé, qu'il suffit de modifier quelques habitudes conventionnelles erronées, responsables d'un nombre incalculable de maux, de misères et de décès prématurés. La santé est un droit de naissance ; il est aussi naturel d'être en bonne santé que de naître : la maladie trouve son origine dans la négligence, l'ignorance ou la transgression des lois naturelles.

Au sens yogique du terme, la maladie est un péché physique et le malade est considéré comme étant aussi responsable de sa mauvaise santé que de ses mauvaises actions. Pyle observait déjà que « les humains qui traitent leur corps comme il leur plaît, et enfreignent les règles de la vie saine dont ils devraient avoir une connaissance approfondie, sont des pécheurs physiques. Les lois de la santé ne sont ni restrictives, ni étriquées. Au contraire, elles sont simples, peu nombreuses et nous procurent une grande liberté en nous affranchissant d'une foule d'entraves qui ne laissent aucune place à notre propre force pour se manifester dans son intégrité, nous empêchant ainsi de jouir pleinement de la vie. » Quoique simples, les méthodes et préceptes du yoga sont rationnels et scientifiques.

On pourrait même craindre que leur simplicité et leur facilité d'application ne conduisent déplorablement à les négliger, nous privant ainsi des merveilleux effets bénéfiques que procure leur pratique continue et soigneuse.

Cet ouvrage vous apporte ces méthodes qui ont fait leurs preuves au cours de millénaires. Je vous transmets la tradition yogique telle que j'ai eu le privilège de la recueillir de mes Maîtres, enrichie par 45 ans de pratique personnelle in-interrompue.

Ce livre est didactique avant tout : il ne s'égare pas dans la théorie et reste sur le terrain de la pratique. Nous répéterons avec swâmi Sivânanda : « Une once de pratique vaut mieux que des tonnes de théorie ».

l'esprit du hatha-yoga

Le hatha-yoga peut être pratiqué avec succès par chacun, athée ou croyant, car il n'est pas une religion, et sa pratique n'exige ni ne présuppose l'adhésion à aucune philosophie particulière, à aucune église ou croyance quelconque. On peut le considérer comme une discipline psychosomatique unique en son genre, d'une efficacité inégalée, sans plus. Le hatha-yoga, étant un ensemble de techniques, est neutre par définition, mais ce serait une regrettable erreur de ne considérer que cet aspect technique, et d'ignorer l'esprit dans lequel les grands Sages et Rishis de l'Inde antique l'ont conçu, esprit qui lui confère une indiscutable noblesse. Personne ne l'a mieux défini que swâmi Sivânanda dans les lignes suivantes :

« Si l'on admet que l'homme est en réalité un esprit incorporé à la matière, une union complète avec la Réalité exige l'unité de ces deux aspects. Il y a beaucoup de vrai dans la doctrine qui enseigne que l'homme doit extraire le meilleur des deux mondes. Il n'existe aucune incompatibilité entre les deux, pourvu que l'action soit conforme aux lois universelles de la manifestation. La doctrine qui prétend que le bonheur dans l'au-delà ne peut être obtenu que par l'absence de jouissance ici-bas, ou par la recherche délibérée de la souffrance et de la mortification doit être tenue pour fausse. Le bonheur ici-bas et la bénédiction de la Libération, tant sur terre que dans l'au-delà, peuvent être atteints en faisant de chaque acte humain et de chaque fonction, un acte d'adoration. Ainsi le *sadhak* (l'adepte) n'agit pas avec un sentiment de séparation. Il considère que sa vie et le jeu de toutes ses activités n'est pas une chose à part, à conserver et poursuivre égoïstement, pour sa propre cause, comme si la jouissance pouvait s'extraire de la vie par sa propre force, sans aide.

» Au contraire, la vie et toutes ses activités doivent être conçues comme une part de l'action sublime de la Nature. Il perçoit que dans le rythme des pulsations de son cœur, c'est le chant de la Vie Universelle qui s'exprime. Négliger ou ignorer les nécessités du corps, le tenir pour une chose non divine, c'est négliger et nier la plus grande Vie, dont il fait partie, c'est falsifier la doctrine de l'Unité et de l'identité ultime de la matière et de l'Esprit. Gouvernés par de tels concepts, même les plus humbles nécessités physiques prennent une signification cosmique.

» Le corps est la Nature ; ses besoins sont ceux de la Nature ; quand l'homme se réjouit, c'est la *Shakti* qui jouit à travers lui.

» En tout ce qu'il voit et fait, c'est notre mère, la Nature, qui agit et regarde ; le corps tout entier et toutes ses fonctions sont sa manifestation. La réaliser pleinement consiste à rendre parfaite cette manifestation qui est lui-même. L'homme qui cherche à se maîtriser, doit le faire sur tous les plans — physique, mental et spirituel — car ils sont tous en relation, n'étant que des aspects différents de la même Conscience Universelle qui l'imprègne.

» Lequel a raison : celui qui néglige et mortifie son corps pour obtenir une prétendue supériorité spirituelle, ou celui qui cultive les deux aspects de sa personnalité comme étant des formes différentes de l'esprit qui l'habite ? Par les techniques du Hatha-Yoga, l'adepte cherche à acquérir un corps parfait qui devient l'instrument adéquat pour le fonctionnement harmonieux de l'activité mentale.

» Le Hatha-Yogi désire acquérir un corps solide comme l'acier, sain, exempt de souffrances et à même de vivre longtemps. Maître de son corps, il veut vaincre la mort. Dans son corps parfait il jouit de la vitalité de la jeunesse. Il veut même soumettre la mort à sa volonté et, ayant accompli sa destinée terrestre, d'un grand geste de dissolution, il quitte ce monde à l'heure choisie. »

Pratiquer le Hatha-Yoga, ne signifie nullement accepter cette doctrine mais, outre qu'elle révèle l'état d'esprit des vrais Hatha-Yogis, elle dissipe aussi certains préjugés répandus en Occident, notamment de considérer les âsanas comme une acrobatie insensée, inutile, voire même dangereuse, ou croire que c'est dans un but de mortification que les Yogis adoptent certaines positions qui paraissent douloureuses. Elles le seraient peut-être pour un non-initié, mais pour l'adepte entraîné elles ne causent jamais de souffrance, au contraire !

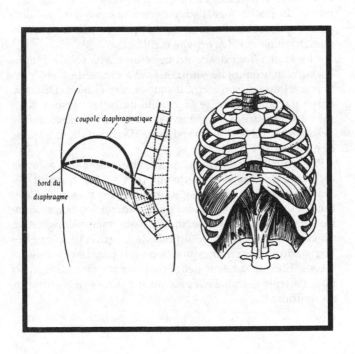

coupole diaphragmatique

bord du
diaphragme

LE DIAPHRAGME VU PAR DESSOUS

respirer c'est vivre

J'ai rarement rencontré un être humain aussi désemparé : il était assis devant moi, pâle, les traits tirés, son cou décharné flottant dans le col de sa chemise devenu trop large. Il venait me voir sans grande conviction, sur le conseil d'un ami, pour m'exposer son problème. Quand je dis « exposer » n'imaginez pas qu'il me raconta tout simplement ses ennuis : son état d'épuisement et de nervosité était tel, qu'il était incapable d'en faire le récit cohérent. Il me lisait des notes préparées pour notre entrevue. Je vous fais grâce des détails. Marié, il avait eu, voici quelques années, un choc émotif dont il ne m'a pas précisé la nature et, depuis, sa santé se délabrait progressivement.

Il souffrait de troubles digestifs, de palpitations, d'irritabilité, de manque de concentration. Il maigrissait à vue d'œil, perdait le goût de vivre, était à bout de courage. Il avait changé d'emploi depuis peu ; mieux rémunéré, il se sentait, hélas, dépassé par ses nouvelles responsabilités. Le lendemain, un travail important l'attendait qu'il s'estimait incapable d'accomplir. Il avait l'intention de l'avouer à son nouveau patron et de démissionner.

Que faire ? La gymnastique lui était interdite car le moindre effort l'épuisait. J'étais fort embarrassé : j'aurais voulu l'aider, mais il semblait exclu de lui faire pratiquer du yoga, même ultra-élémentaire.

Pour faire le point, je lui demandai d'ôter son veston, de se coucher sur le tapis et de respirer calmement. Ne remarquant aucun mouvement respiratoire à l'abdomen ni au thorax, je lui dis :

— Ne retenez pas votre souffle !

— Mais je ne le retiens pas, je respire normalement..., fut la réponse surprenante.

— Alors respirez aussi profondément que vous pourrez.

Il fit un effort, et sa poitrine se souleva... d'un centimètre ! Je palpai l'abdomen : il était dur et contracté. Cet homme était à ce point contracturé qu'il ne respirait pratiquement pas, tout juste assez pour ne pas mourir asphyxié. Cela expliquait bien des choses ! Il me regarda ahuri lorsque je lui appris que sa respiration était presque inexistante : il ne s'en était jamais rendu compte, ni personne d'ailleurs ! Après une demi-heure d'essais, il réussit à se décontracter un peu et à respirer du ventre. Ce n'était pas formidable, bien sûr, mais, comparé à son état précédent, il inspirait au moins cinq fois plus d'air qu'auparavant.

Trois quarts d'heure plus tard, timidement, une touche de rose apparut à ses joues, un pâle sourire éclaira son visage et... il pouvait parler sans notes !

Ne croyez pas que tout fut simple par la suite, mais, par la magie du souffle, ce corps humain revint à la vie, comme une plante étiolée qu'on arrose.

Avec l'aide de son médecin, il est en voie de reprendre une vie normale.

Ceci est un cas extrême mais impressionnant et, depuis ce

jour, plus que jamais, j'accorde une importance primordiale à la respiration ; j'observe que, presque sans exception, les personnes qui ont une cage thoracique bien développée — et qui s'en servent ! — vivent sans problèmes, c'est-à-dire réussissent à les résoudre au fur et à mesure qu'il s'en présente. Ceux qui respirent mal se débattent dans des difficultés sans nombre, dans tous les domaines : santé, profession, affectivité. Ils sont — hélas — la majorité car, en fait, nous respirons tous plus ou moins mal ! Combien de pauvres poumons de civilisés ne sont jamais ventilés à fond !

La respiration est le grand volant vital. Il est possible de se passer de nourriture solide pendant des semaines, de boisson pendant quelques jours : privés d'air, en peu de minutes nous passerions de vie à trépas.

Tous les phénomènes vitaux sont liés à des processus d'oxydation et de réduction : sans oxygène, pas de vie. Nos cellules dépendent du sang pour leur approvisionnement en oxygène. Qu'un sang pauvre en oxygène circule dans vos artères et la vitalité de chacune de nos cellules s'en trouve amoindrie : « réalisez » cette vérité première, imprégnez-vous et rendez-vous compte que des milliards de cellules, prêtes à vous servir fidèlement jusqu'au bout de leurs forces, sont tributaires de l'apport d'oxygène qui leur parvient par l'intermédiaire de ce liquide magique : le sang. Votre devoir, au sens strict, est de leur assurer cet approvisionnement en oxygène auquel elles ont droit.

Non seulement nous respirons très mal, mais souvent la qualité de l'air respiré est plus que douteuse, d'où notre manque de résistance aux maladies, à la fatigue, notre répugnance à tout effort physique, notre nervosité, notre irritabilité.

L'apport d'oxygène est un aspect seulement de la fonction respiratoire qui comprend aussi le rejet du CO_2 Les cellules ne disposent d'aucun autre moyen de se débarrasser des déchets qu'elles produisent, sauf de les déverser dans le sang et la purification a lieu notamment dans les poumons. De plus, dans les poumons mal ventilés d'innombrables germes peuvent se développer dans l'obscurité tiède et humide qui leur est favorable. Le bacille de Koch ne résiste pas à l'action de l'oxygène ; la respiration correcte en assurant la ventilation complète des poumons immunise contre la tuberculose.

Bien sûr, nous n'avons pas attendu les yogis pour respirer ! Mais en pratiquant leur art de respirer, vous vous rendrez compte à quel point vous respiriez mal auparavant !

Il y a autant de différence entre la façon dont respire un adepte du yoga et un non initié, qu'entre un gamin qui barbote dans un étang et un champion de natation. Le premier se débat, dépense beaucoup d'énergie et arrive à peine à flotter et à se déplacer, le second avance vite et sans effort. Toute la différence vient de la technique et de l'exercice.

Apprenons à respirer correctement, la récompense sera merveilleuse !

Voici les bénéfices que swâmi Sivananda attribue à la respiration yogique : « Le corps devient fort et sain ; l'excès de graisse disparaît, le visage resplendit, les yeux scintillent et un charme particulier se dégage de toute la personnalité. La voix devient douce et mélodieuse. La maladie n'a plus de prise sur l'adepte. La digestion se fait avec aisance. (Souvenez-vous de l'appétit que vous ressentez après une longue marche en plein air). Le corps tout entier se purifie, l'esprit se concentre aisément. La pratique constante éveille les forces spirituelles latentes, amène le bonheur et la paix. » Avant votre naissance, maman respirait pour vous. Mais, dès votre venue au monde, lorsque la teneur en CO_2 de votre sang augmenta, le centre respiratoire déclencha votre première et profonde inspiration. Dans la cage thoracique, les poumons se déplissèrent : vous veniez de poser votre premier acte autonome. Depuis lors, flux et reflux du souffle rythment votre vie jusqu'au dernier soupir. Pour reprendre l'expression de C. L. Schleich, dès que la sage-femme tranche le cordon ombilical, les poumons deviennent le placenta qui relie l'homme à la mère cosmique.

Vivre, c'est respirer — respirer, c'est vivre et les yogis mesurent la durée de la vie humaine en nombre de respirations.

Avant d'entreprendre des exercices respiratoires compliqués apprenons d'abord à bien respirer. Ou plutôt, réapprenons !... Nous avons tous si bien su respirer... quand nous étions bébés ! Depuis, tant de choses ont changé, sans toujours s'améliorer, surtout en matière de respiration, laquelle est devenue incomplète, superficielle, saccadée, hâtive, parce que nous sommes perpétuellement crispés et tendus sous l'emprise d'émotions négatives : anxiété, colère, entre autres.

Avant toute réforme respiratoire, il faut se souvenir que le souffle est antérieur à nous et que nous ne pouvons rien lui apprendre. Nous devons nous ouvrir à ses pouvoirs vivifiants en écartant tous les obstacles à son action. Le souffle attend de nous l'élimination des tensions, la correction des mauvaises habitudes, des attitudes physiques et mentales erronées. Dès que nous aurons déblayé les obstacles, il se manifestera dans sa plénitude et nous accordera vitalité et santé.

La mode n'est plus aux corsets de 1900, mais plus d'un accessoire vestimentaire empêche encore de respirer normalement. Vos ceintures de cuir, Messieurs ! Vos gaines et soutiens-gorge, Mesdames ! Choisissez-les très extensibles pour ne pas entraver la respiration.

Mais, il y a des obstacles physiques beaucoup plus redoutables : ces abdomens durs et contractés qui bloquent toute respiration et contracturent toute la personnalité, ces thorax rigides comme des cuirasses, ces diaphragmes immobilisés par des accumulations de gaz dans le tractus gastro-intestinal, causées elles aussi par des spasmes. Il faut d'abord décontracter tous ces muscles tendus en permanence qui, mieux qu'un corset, empêchent toute respiration normale ; voilà pourquoi la relaxation est la porte d'entrée du yoga.

PRIORITE A L'EXPIRATION

Dans l'acte respiratoire, l'Occidental attribue la primauté à l'inspiration. Le yoga, au contraire, affirme que toute bonne respiration commence non seulement par une expiration complète et lente, mais aussi que cette expiration parfaite est la condition sine qua non d'une inspiration correcte et complète, pour la raison bien simple qu'on ne peut remplir un récipient que dans la mesure où il a été préalablement... vidé ! Impossible de bien respirer si nous n'expirons pas d'abord à fond.

La respiration normale commence donc par une expiration lente et paisible, réalisée par la relaxation des muscles inspirateurs. La poitrine s'affaisse de son propre poids, ce qui chasse l'air. Cette expiration doit être silencieuse, comme tout l'acte respiratoire (vous ne devez pas vous entendre respirer) et, de ce fait, elle sera lente. A la fin de l'expiration, les muscles abdominaux peuvent aider à vider les poumons aussi complètement que possible, par une contraction qui chasse les derniers restes d'air vicié. La constitution spongieuse des poumons ne permet pas de les vider à 100 % : il restera toujours de l'air impur dans les poumons, l'air résiduel, qu'il faut s'efforcer de réduire au minimum, car l'air frais, apporté par l'inspiration, se mélange à cet air résiduel pour former votre véritable air respiratoire. Plus vous aurez expiré à fond, plus grande sera la quantité d'air frais qui pourra entrer, plus pur sera l'air en contact avec la surface alvéolaire.

Le volume d'air que les poumons peuvent contenir s'appelle la « capacité vitale » : rarement désignation aura été plus pertinente et le but de nombreuses techniques respiratoires est d'augmenter cette capacité. Toutefois, avant de se préoccuper de l'accroître, utilisons au maximum celle dont nous disposons, par une expiration soignée. Les yogis distinguent trois types de respirations :

la respiration abdominale, la respiration costale et la respiration claviculaire. La respiration yogique complète combine les trois et constitue la respiration idéale.

La respiration abdominale

C'est de cette façon que respirent la majorité des hommes. Le diaphragme s'abaisse au moment de l'inspiration, l'abdomen se gonfle. C'est la façon la moins mauvaise de respirer. La base des poumons se remplit d'air, l'abaissement rythmique du diaphragme provoque un massage doux et constant de tout le contenu abdominal et favorise le bon fonctionnement des viscères.

La respiration costale

S'effectue en écartant les côtes, en dilatant la cage thoracique comme un soufflet. Cette respiration emplit les poumons dans leur partie moyenne. Elle fait pénétrer moins d'air que la respiration abdominale, tout en demandant plus d'effort ! C'est la respiration « athlétique ». Combinée avec la respiration abdominale, elle entraîne une ventilation satisfaisante des poumons.

La respiration claviculaire

L'air pénètre dans les poumons en soulevant les clavicules. La partie supérieure des poumons seule reçoit alors un apport d'air frais. C'est la moins bonne façon de respirer : elle est souvent l'apanage des femmes.

La respiration complète

La respiration yogique complète, englobe les trois modes de respiration qu'elle intègre en un seul mouvement ample et rythmé.

L'apprentissage se fait le mieux en position couché sur le

dos ; on peut donc pratiquer au lit, éventuellement. Voici, en bref, les quatre phases :

1° videz les poumons à fond.

2° abaissez lentement le diaphragme et laissez entrer l'air dans les poumons. Quand l'abdomen sera gonflé et que le bas des poumons aura été empli d'air...

3° écartez les côtes, sans forcer cependant, puis…

4° achevez d'emplir les poumons en soulevant les clavicules.

Pendant toute l'inspiration l'air doit entrer progressivement, sans saccades, en flux continu. Vous ne devez faire aucun bruit en respirant. Il est essentiel de respirer silencieusement. (Les détails sont donnés au chapitre suivant).

TRES IMPORTANT : votre esprit doit être totalement concentré sur l'acte respiratoire.

Quand vous aurez rempli les poumons complètement, expirez dans l'ordre de l'inspiration, toujours lentement, sans saccades ni effort. Bien rentrer l'abdomen à la fin de l'expiration. Recommencer ensuite à inspirer de la même façon. Vous pouvez prolonger cet exercice autant que vous le désirez. Il ne doit provoquer ni gêne, ni fatigue. Vous pouvez le pratiquer à tout moment, chaque fois que vous y pensez, au travail, en marchant, en toute occasion, respirez consciemment et aussi complètement que possible. Peu à peu, vous acquerrez l'habitude de la respiration complète et votre façon de respirer s'améliorera au fur et à mesure de vos progrès. Mais, il est indispensable de réserver chaque jour un moment fixe à votre choix (le matin au réveil est très favorable, ainsi que le soir avant de vous endormir) pour pratiquer pendant quelques minutes.

Quand vous vous sentirez fatigué, déprimé, découragé, faites quelques respirations complètes : votre fatigue disparaîtra comme par enchantement, votre mental s'en ressentira et vous vous remettrez au travail avec un entrain renouvelé.

Tout comme l'expiration, l'inspiration doit être silencieuse, lente, continue et aisée. Ne vous gonflez pas comme un ballon de football ou comme un pneu. Respirez à l'aise, ne forcez jamais. Souvenez-vous que la respiration idéale est PROFONDE, LENTE, SILENCIEUSE, AISEE.

Chez les sédentaires, il se produit des accumulations de sang, ou congestions, dans l'un ou l'autre organe. Le « torrent circulatoire » ralenti entraîne une usure et un vieillissement prématurés de l'organisme. La respiration complète empêche que, dans nos organes, le courant sanguin ne se ralentisse au point de former des stagnations et de « torrent » ne devienne un « marécage ».

L'effet de succion, d'aspiration, provoqué par la respiration profonde constitue une des plus importantes corrélations entre la respiration profonde et la circulation. Un exemple, cité par le docteur Fritsche, éclaire ce mécanisme.

La grosse veine qui déverse dans le cœur d'une façon ininterrompue le sang en provenance du foie, est régulièrement vidée par la succion que le poumon exerce sur elle en respirant. Si le sang veineux hépatique ne s'écoule pas librement, le foie gonfle et se congestionne avec des répercussions fâcheuses sur la circulation du sang en provenance du tube digestif, d'où il s'ensuit une digestion perturbée.

La respiration profonde et lente dissipe presque instantanément cet état congestif hépatique, car le poumon aspire littéralement l'excès de sang accumulé dans le foie, qui se déverse dans le cœur droit. D'ailleurs, les mouvements du diaphragme et de la cage thoracique exercent une influence accélératrice sur la circulation veineuse dans l'organisme tout entier.

En inspirant, vous n'aspirez pas seulement de l'air dans les poumons, vous pompez aussi du SANG dans les tissus de tout le corps. C'est au moment où le poumon contient le plus d'air qu'il renferme aussi le plus de sang, selon les recherches de P. Héger.

Lorsque, dans la première phase de la respiration, le diaphragme s'abaisse et s'aplatit, la veine cave inférieure propulse le sang vers le cœur, car ses parois sont tendues. La rate retire aussi des effets bénéfiques de la respiration profonde.

Ainsi, la respiration profonde et lente est un puissant moteur circulatoire. Le cœur est la pompe foulante qui propulse le sang dans le réseau artériel, tandis que les poumons font office de pompe aspirante sur la circulation veineuse. La circulation dépend du fonctionnement correct et complémentaire de ces deux pompes motrices. La respiration est le tonique cardiaque par excellence.

Les échanges gazeux dans le poumon, c'est-à-dire l'absorption d'oxygène et l'expulsion du CO_2 se font le mieux lorsque la respiration est profonde, complète et LENTE. D'après Walter Michel : « Si la ventilation pulmonaire n'est pas complète, abondante et lente, la surface à oxyder perd de son intégrité et la fixation d'oxygène se fait mal, malgré la présence des ferments.

» Pour un échange gazeux optimum, il faut que le sang veineux adapte lentement sa tension à celle de l'air alvéolaire... Les tensions se rapprochent lorsque l'air alvéolaire reste longtemps en contact avec le sang. Le rapprochement maximum est atteint quand l'air reste 10 à 20 secondes dans les alvéoles. La vitesse de la circulation de sang et le temps pendant lequel l'air reste dans les alvéoles, en d'autres termes le volume/minute et la manière de respirer, déterminent également l'importance des échanges gazeux au niveau des poumons. On augmente la surface de diffusion en inspirant profondément et en retenant l'air inspiré. C'est ainsi qu'on augmente la surface d'efficacité, car toutes les alvéoles habituellement inactives dans la respiration courante, sont en action. La leçon que la médecine est en droit de tirer de ces faits, est qu'un bon remplissage alvéolaire est nécessaire à une bonne oxygénation. Il faut, en effet, que le plus grand nombre possible d'alvéoles participent à cette action, afin d'augmenter ainsi la surface de diffusion, afin d'obtenir un échange aussi complet que possible des gaz de la respiration... »

Il est démontré combien le rythme de la respiration est essentiel, notamment combien la respiration LENTE influence la respiration des tissus qui, par ce moyen simple, augmente plus que ne saurait le faire aucune thérapeutique, la consommation en oxygène de tout l'organisme.

« Tous les troubles organiques ou fonctionnels qui créent l'état de maladie sont influençables sinon toujours guérissables par la respiration volontaire.

» Les futurs bronchiteux, les futurs asthmatiques, les futurs emphysémateux sont invariablement des respirateurs insuffisants », dit le docteur J. Peschier.

« La respiration volontaire est le moyen le plus important dont nous disposons pour augmenter la résistance organique. Diminuez la résistance organique par n'importe quel moyen et vous verrez des microbes jusque là inoffensifs devenir des agents d'infection (Pasteur). La sérothérapie connaît des échecs comme la sulfamidothérapie, comme la pénicillothérapie. Certains remèdes, comme tels, n'ont aucune action directe sur l'agent infectieux. Par contre, il est établi que certains états du sang ou des humeurs (température, densité, viscosité ou simplement pH), suffisent à détruire un agent infectieux, sans le secours d'aucune thérapeutique consciemment apportée de l'extérieur.

» Il existe une immunité naturelle. Celle-ci est attribuée à un équilibre ionique du sang. Elle dépend donc de la respiration, qui, en agissant sur le pH des humeurs, agit sur le pH optimum du microbe. Elle donne à l'équilibre acide-base une régulation qui se rétablit à chaque respiration et permet à l'organisme de maintenir ou de retrouver le pH vital.

» Si la respiration volontaire ne suffit pas toujours pour combattre les maladies infectieuses, elle soutient le combat qui nous en délivre, elle assure à l'organisme les moyens de les éviter. »

On reste confondu devant la clairvoyance des yogis qui

ont établi depuis plusieurs millénaires, les règles et techniques de la respiration idéale ! Ils recommandent de respirer comme si, à notre naissance, nous avions été crédités d'un certain nombre de respirations, et que notre vie durerait jusqu'à épuisement du capital « nombre de respirations ». Si nous étions pénétrés de cette croyance, comme nous prendrions soin de respirer lentement !

Oui, respirer c'est vivre. Mais, respirer lentement c'est vivre longtemps. Et en bonne santé.

Tandis que pour les âsanas il faut être à jeun, dans une tenue et un lieu adéquats, la respiration volontaire peut se pratiquer n'importe où, n'importe quand, sans même que l'entourage ne s'en aperçoive !

Commencez votre journée par quelques respirations profondes, lentes, silencieuses, au lit, pendant les quelques instants que vous vous accordez entre le réveil et le lever... Puis, pendant toute votre séance d'âsanas, respirez yogiquement. Si vous avez l'occasion de marcher un peu en vous rendant à votre travail, respirez encore ! En marchant, inspirez pendant 4 pas, retenez le souffle 2 pas, et faites durer l'expiration 6 pas. Si c'est trop lent, réduire les temps, mais conserver les proportions. En règle générale, l'expiration doit occuper le double du temps de l'inspiration, qu'il y ait rétention ou non.

Dans le courant de la journée, au travail ou ailleurs, chaque fois que vous y penserez — souhaitons que ce soit souvent — accordez-vous quelques respirations profondes, complètes et lentes. Dans la soirée, profitez-en pour intercaler une brève séance de respirations ; au lit, que la respiration vous serve de berceuse. Vous pouvez toujours respirer sur le même rythme qu'en marchant, mais en comptant les secondes, par exemple.

Ainsi, en accumulant de courtes mais fréquentes séances au cours de la journée, vous vous assurez les avantages inappréciables de la respiration yogique.

la respiration yogique complète

Nous allons, dans ce chapitre, condenser la technique de la respiration yogique complète, la seule normale puisqu'elle englobe en un seul processus les diverses façons partielles de respirer.

Résumons d'abord ce que nous savons déjà.

L'inspiration se compose de trois phases partielles qui sont :

a) la respiration abdominale, provoquée par l'aplatissement et l'abaissement du diaphragme ;

b) la respiration costale, réalisée par l'écartement des côtes ;

c) la respiration claviculaire, ou respiration haute, produite par le soulèvement du sommet du thorax.

Chacune de ces respirations a ses avantages propres, mais seule une inspiration qui englobe les trois modes constitue la respiration yogique complète.

Comment apprendre, en pratique, cette respiration ? Il faut d'abord s'exercer à en dissocier les diverses phases, avant d'en tenter la synthèse, c'est-à-dire l'enchaînement souple et continu des trois phases qui se succèdent alors sans discontinuité, en un seul mouvement ample et harmonieux qui remplit les poumons de l'air vivifiant et déplisse les 70 millions d'alvéoles pulmonaires que, paraît-il, nous possédons tous.

En premier lieu, c'est à la respiration abdominale qu'il faut s'exercer.

LA RESPIRATION DIAPHRAGMATIQUE

Nous allons donc apprendre à respirer correctement du diaphragme, d'une façon aisée, ample et naturelle. Il est préférable de s'exercer en étant couché sur le dos, parce que dans cette position il est plus facile de relaxer la musculature abdominale qui contribue à nous tenir droit lorsque nous sommes assis ou debout. Plus tard, vous pourrez respirer du diaphragme en toutes circonstances, même en marchant ou en courant.

Pour être vraiment à l'aise, il est souvent utile de placer un coussin sous les genoux pour diminuer la cambrure lombaire. Ne vous allongez pas sur un support trop mou car, bien qu'il soit possible de respirer du diaphragme en étant couché sur un lit, il est préférable de faire l'exercice sur un support ferme, voire sur un tapis posé à même le sol.

Il est bon de fermer les yeux durant l'exercice pour mieux vous concentrer.

Avant l'exercice, prenez soin d'expirer à fond plusieurs fois, soit en poussant quelques soupirs à l'issue desquels vous rentrez un peu le ventre en contractant les abdominaux pour chasser les derniers restes d'air soit, si vous êtes seul dans une pièce, en émettant le son OM (cf. p. 61) qui oblige à expirer lentement, à fond et, comme le son doit être uniforme, il vous permet de doser le débit de l'air à votre gré. Pendant que vous prononcez le ôôôômmm long et grave en faisant vibrer le mmmm... dans la boîte crânienne, concentrez votre attention sur la sangle abdominale, prenez conscience des mouvements des divers muscles qui la composent. Après quelques expirations longues, lentes, profondes, automatiquement une tendance se manifeste à inspirer plus profondément et « dans le ventre ». Nous allons accentuer cette tendance et la pousser jusqu'à son maximum.

Le dessin n° 1 vous montre la position du diaphragme à poumons vides. Vous voyez que, tel un piston dans un cylindre, il est remonté très haut dans la cage thoracique et que les poumons occupent un espace fort restreint. Il est important de vider les poumons à fond, d'évacuer un maximum d'air résiduel vicié. Mais ce piston n'est pas plat, comme dans un moteur ordinaire, il est bombé (voir illustration n° 2) comme un couvercle de marmite, mais non rigide puisque constitué d'une plaque cartilagineuse ceinturée de muscles dont la contraction détermine les mouvements du diaphragme. En fait, le diaphragme dispose de muscles comptant parmi les plus puissants du corps humain ou du moins censés l'être car souvent, hélas, leur propriétaire les laisse s'atrophier. Ce dessin n° 1 nous permet aussi de saisir pourquoi l'on ne se relaxe vraiment à fond que lorsque les poumons sont vides, — sans expiration forcée —, parce qu'à ce moment les muscles du diaphragme sont au repos.

Le relax absolu ne peut donc se situer que pendant les quelques secondes de répit qu'on s'accorde en retenant le souffle A POUMONS VIDES.

Après avoir vidé les poumons à fond et brièvement retenu le souffle, vous percevrez bientôt que votre respiration veut se déclencher toute seule : relaxez le ventre et laissez-la partir à cet instant. Pendant que l'air entre dans les poumons, l'abdomen gonfle et se soulève suite à l'aplatissement du dôme du diaphragme et NON PAR UNE CONTRACTION DES MUSCLES DE LA SANGLE ABDOMINALE. Il arrive

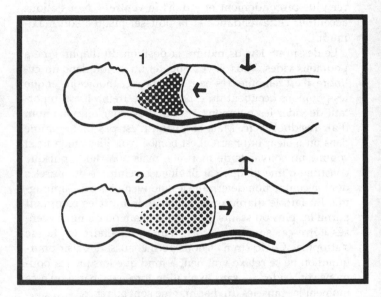

POSITION DU DIAPHRAGME
A POUMONS VIDES ET A POUMONS PLEINS

Ces exercices de respiration abdominale pure, avec l'abdomen complètement relâché, ne doivent se pratiquer que couché sur le dos. Le but est de rendre conscient et de développer la respiration diaphragmatique. Dès que cet objectif est atteint, même en position couchée, il faut respirer en tendant légèrement la paroi abdominale qui doit résister élastiquement à la poussée inspiratoire ; cela crée un massage doux mais très efficace des viscères. Assis ou debout, éviter de ballonner le ventre en respirant, surtout sous le nombril.

La respiration normale, celle de la vie courante, devrait être une respiration yogique complète (c'est-à-dire diaphragmatique, thoracique et claviculaire) atténuée mais non une respiration partielle. La sangle doit être contrôlée mais non contracturée. Cf. aussi mon *Prânayama, la dynamique du souffle* p. 146 et suivantes, le chapitre concernant le contrôle de la sangle abdominale.

souvent que des personnes croient, en toute bonne foi « respirer du ventre » en l'enflant par un travail de la sangle musculaire abdominale. En fait, celle-ci doit être assez ferme et le rester durant toute l'inspiration. Peu à peu les poumons se remplissent d'air par le bas. L'inspiration sera lente, aisée et vous en aurez la certitude en respirant silencieusement. Si vous ne vous entendez pas respirer, votre respiration aura la lenteur voulue. Audible, cela signifierait que vous inspirez trop vite.

Inspirer et expirer par le nez est essentiel.

L'abdomen doit se soulever doucement comme un ballon qui se gonfle et la sangle doit rester souple ; si vous souhaitez contrôler le mouvement, posez la main sur le ventre, à peu près au nombril et en reposant le coude au sol. Ainsi vous pourrez facilement suivre le mouvement de dilatation modéré de l'abdomen.

Pendant ce temps, le dos doit rester relaxé mais les côtes ne peuvent absolument pas bouger.

Pour vous en assurer, vous pouvez appliquer l'autre main contre les côtes et vous saurez, si les côtes restent bien immobiles, que la respiration abdominale est dissociée de la thoracique.

Et si vos côtes bougeaient malgré tout pendant le gonflement modéré du ventre ? Dans ce cas, on pourrait immobiliser les côtes en sanglant le thorax au moyen d'une ceinture que vous disposez à peu près à hauteur de la pointe du sternum, au creux de l'estomac. Serrez la ceinture au cran voulu quand les poumons sont vides. Ainsi, quand vous inspirerez, les côtes se heurteront à la résistance de la ceinture et ne participeront pas au mouvement, vous obligerez automatiquement le diaphragme à s'aplatir et le ventre à se gonfler.

Pendant que vous inspirez, il faut vivre consciemment ce qui se passe dans les profondeurs tièdes du thorax : bientôt vous prendrez conscience du diaphragme et de ses mouvements, vous pourrez scinder les deux phases et vous passer de la ceinture.

EFFETS DE LA RESPIRATION DIAPHRAGMATIQUE

Cette respiration, outre qu'elle est relaxante, constitue un des moteurs les plus actifs de la circulation. Le diaphragme est un second cœur puisque ses mouvements de piston gonflent la base des poumons, lesquels aspirent ainsi du sang veineux en grande abondance. La circulation veineuse étant accélérée, le cœur proprement dit est bien alimenté en sang par l'arrière, ainsi que nous l'avons vu auparavant ; il en résulte une amélioration notable de la circulation générale.

Les mouvements de va-et-vient du piston diaphragmatique produisent en outre un massage très efficace — à la fois doux et puissant — des viscères abdominaux.

Le foie est décongestionné et la vésicule évacue la bile en temps opportun. La rate, l'estomac, le pancréas, et tout le tube digestif sont massés, tonifiés. Les stases sanguines sont éliminées. Il arrive souvent d'entendre des « glouglous » pendant la pratique de la respiration diaphragmatique qui révèlent l'activation du péristaltisme du tube digestif.

Avec l'exercice, cette respiration abdominale devient de plus en plus ample, souple, relaxée, rythmée alors qu'au début elle était saccadée et difficile, du moins dans beaucoup de cas, notamment chez les personnes tendues qui sont, hélas, légion..

Il faut mentionner ici l'action décongestionnante de cette respiration sur le plexus solaire, ce cerveau abdominal végétatif (il est utile de le répéter) dont l'importance échappe à la plupart de nos contemporains qui en ignorent souvent même jusqu'à l'existence. C'est le plexus de l'anxiété, ce qui explique l'effet calmant, apaisant de la respiration abdominale.

En général, les hommes apprennent cette respiration beaucoup plus facilement que les femmes, mais cela ne doit pas inciter ces dernières à s'en abstenir, au contraire.

LA RESPIRATION COSTALE

Nous allons maintenant apprendre la respiration thoracique ou costale si vous préférez.

Comme son nom l'indique, c'est l'écartement des côtes qui va ouvrir le thorax et faire affluer l'air dans les poumons. Cette fois, nous allons travailler assis. Il est sans importance que ce soit sur une chaise ou sur le sol, le résultat est identique. Videz les poumons à fond et maintenez la sangle abdominale contractée : ainsi il devient presque impossible de respirer du ventre. Pendant toute la durée de l'inspiration vous devez garder l'abdomen contracté afin d'empêcher toute respiration vers le bas.

Faut-il vraiment préciser que les personnes qui ont utilisé la ceinture pour immobiliser les côtes, l'ôteront pour apprendre la respiration thoracique ?

Placez les mains dans les flancs de façon que les paumes sentent les côtes, à quelques centimètres sous l'aisselle. Les doigts pointent vers le haut. Inspirez en essayant de repousser les mains le plus loin possible avec les côtes, donc en les écartant non pas devant vous, mais dans les flancs. Après quelques essais, vous saurez exactement comment vous y prendre.

Vous remarquerez nettement une plus grande résistance à l'entrée de l'air que pendant la respiration abdominale, qui fait pénétrer le plus grand volume d'air avec un effort minimum.

Malgré cette résistance, c'est une quantité appréciable d'air qui entrera pendant l'inspiration thoracique.

Faites ainsi une vingtaine de respirations localisées exclusivement aux côtes.

LA RESPIRATION CLAVICULAIRE OU HAUTE

Dans ce type de respiration, il faut essayer de faire remonter les clavicules en direction du menton, tout en faisant entrer l'air.

Bloquez les muscles abdominaux, comme pendant l'apprentissage de la respiration thoracique, en gardant les mains sur les flancs dans la position décrite ci-dessus. Essayez maintenant de faire entrer de l'air en attirant les clavicules vers le haut, sans toutefois soulever les épaules, ce qui serait d'ailleurs pratiquement impossible, en maintenant les mains sur les flancs.

Vous percevrez l'entrée de l'air, mais vous prendrez aussi conscience qu'il en pénètre peu, malgré un effort nettement plus important encore que pour la respiration thoracique.

C'est la façon de respirer la moins efficace. Les femmes respirent souvent de cette façon-là à titre habituel. Observez dix femmes respirer : chez huit d'entre elles vous ne verrez d'autre mouvement pendant l'inspiration qu'un soulèvement marqué des clavicules, les femmes soulèvent leur broche ou leur collier quand elles inspirent !

C'est aussi la respiration des nerveux, des déprimés, des anxieux. Elle n'est tolérable et utile qu'intégrée à la respiration yogique complète et ne prend de sens que précédée des deux autres phases de cette respiration.

Pourquoi les femmes respirent-elles du haut des poumons ?

Nous avons supposé pendant longtemps que les raisons vestimentaires (corsets, gaines, soutiens-gorge, vêtements serrants, etc.) en étaient l'unique cause. Toutefois, même les femmes qui ne mettent pas de corset (celui-ci a, heureusement, tendance à disparaître et les gaines modernes sont très souples) présentent ce type de respiration, alors que leurs vêtements ne serrent guère plus que ceux des hommes. Nous croyons qu'il faut chercher plus loin la cause profonde de cet état de choses.

En observant les bébés des deux sexes, on s'aperçoit que les nourrissons du sexe féminin, quoique respirant habituellement de l'abdomen comme ceux du sexe masculin, ont des périodes où la respiration se fait du haut de la poitrine. Or, dans ce cas, les vêtements sont absolument hors de cause !

Pour trouver la clé de l'énigme, il faut jeter un coup d'œil vers le rôle fondamental de la femme, celui qui la différencie le plus de l'homme : la maternité.

Que se passe-t-il pendant la grossesse ? A mesure que l'utérus prend du volume, il envahit la cavité abdominale et, durant les derniers mois de la grossesse, la femme ne peut pratiquement plus respirer du diaphragme, celui-ci ne pouvant plus s'abaisser à cause de la présence de l'enfant et du placenta. Dès lors, la femme a recours à une respiration de secours prévue pour ce cas précis : la respiration claviculaire. Observez respirer une femme enceinte et vous verrez qu'elle est forcée de respirer ainsi, surtout pendant les dernières semaines. Les respirations profondes lui sont — et pour cause — impossibles. Le bébé de sexe féminin, d'instinct, s'entraîne dès le berceau à ce type de respiration !

Nous allons cependant retrouver les vêtements et leur rôle ! Dès qu'un vêtement comprime quelque peu l'abdomen, le mécanisme de secours se met en action et la femme respire du haut de la poitrine, tandis que, dans les mêmes circonstances, l'homme réagit autrement : il desserre ses vêtements ou force malgré tout le diaphragme à s'abaisser. L'homme lutte contre l'obstacle alors que la femme le contourne.

Il n'en reste pas moins vrai que ce type de respiration est de qualité inférieure à la respiration abdominale et que la femme doit éviter d'adopter comme mode habituel de respiration un type prévu pour la grossesse.

La femme devra donc être plus vigilante encore que l'homme, afin de ne pas laisser ce mécanisme se déclencher, sauf si elle est enceinte, bien sûr.

APPRENDRE LA RESPIRATION YOGIQUE COMPLÈTE

La respiration yogique, nous le savons, combine les trois types de respirations partielles.

L'apprentissage se fera couché sur le dos, de préférence. Commencez par une inspiration lente et profonde du ventre, et, lorsque vous sentez que celui-ci ne peut se gonfler davantage, écartez les côtes et faites pénétrer encore plus d'air dans les poumons. Quand les côtes sont ouvertes au maximum, soulevez les clavicules pour faire entrer encore un peu d'air. Vous êtes, cette fois, rempli d'air au maximum. Toutefois, il ne faut pas vous gonfler comme un pneu, cela doit rester facile et confortable.

Évitez de contracter les muscles des mains, du visage ou du cou, surtout pendant la phase claviculaire de la respiration. Les trois mouvements, comme nous l'avons dit au début, doivent s'exécuter en « fondu enchaîné » tout en restant nettement distincts et discernables pour un observateur extérieur.

ERREUR : après avoir gonflé le ventre en aplatissant le diaphragme, il arrive que des personnes cessent de faire entrer de l'air à ce moment et rentrent le ventre croyant ainsi faire remonter l'air dans le haut des poumons, ce qui n'est pas vrai.

VERTIGES

Il arrive parfois, chez les personnes respirant habituellement du haut des poumons, que la respiration yogique complète provoque une sensation de vertige, absolument anodine quoique désagréable. Quelle est l'explication de ce phénomène ? C'est tout simplement l'effet de succion qui aspire littéralement le sang veineux du cerveau notamment, ce qui est très favorable. Toutefois, chez les personnes faisant une légère hypotension générale, cette faible baisse de tension dans le cerveau entraîne une sensation de vertige citée. Le remède est ultra-simple : il suffit d'amener les jambes à la verticale, donc perpendiculairement au tronc puisque l'on pratique couché : la pression habituelle se rétablit à l'instant et le vertige disparaît aussitôt. Faut-il poursuivre les exercices ? Bien entendu, car en peu de jours l'organisme s'y adapte et ce léger inconvénient anodin disparaît.

Cet exercice, qui ne présente aucune difficulté, permet d'acquérir le contrôle des muscles abdominaux pendant la respiration, tout en rendant au diaphragme sa mobilité perdue.

Le premier temps (ci-dessus) se place à l'expiration. En vidant les poumons à fond, courber l'échine, diriger le regard vers le nombril et contracter le ventre pour chasser les derniers restes d'air. L'expiration est donc active.

L'inspiration qui suit est PASSIVE. Elle se produit par le relâchement des muscles du ventre : l'air entre sans effort dans les poumons. Accentuer le mouvement d'inspiration en creusant les reins et en regardant vers le ciel.

Répéter ces deux phases une dizaine de fois, puis pratiquer couché sur le dos.

En plaçant les mains, l'une sur le ventre, au creux de l'estomac, l'autre dans les flancs, l'adepte perçoit nettement les divers mouvements respiratoires. Cette photo montre la phase finale de l'expiration. Le ventre est rétracté pour chasser les derniers restes d'air, tandis que les côtes se rapprochent.

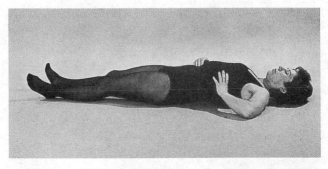

Pendant toute la durée de l'inspiration, les mains ont pu suivre les phases abdominale, puis costale et enfin claviculaire de la respiration yogique. A la fin de l'inspiration, le thorax est rempli d'air, ainsi que la photo le montre, mais le ventre n'est pas ballonné, surtout dans sa partie située sous le nombril.

adieu les rhumes !...

Les yogis ont prévu divers procédés pour purifier l'organisme et le tenir parfaitement propre. Dans une certaine mesure, le corps rejette spontanément les résidus et les toxines : les reins filtrent le sang et, via l'urine, nous éliminons notamment les composés uriques, très toxiques ; les intestins débarrassent le corps des résidus de la digestion ; la peau rejette aussi des toxines tandis que les poumons évacuent l'excès de CO_2. Le yoga assiste ces émonctoires dans leur travail vital, aide la nature dans son travail de nettoyage. Toutefois, il existe des déchets que le corps ne rejette pas automatiquement. C'est ainsi que nous sommes obligés de nous laver la peau chaque jour, de nous brosser les dents, etc. Mais le yoga va plus loin, et même beaucoup plus loin.

Voyons d'abord la technique du néti, « la douche nasale », qui n'est ni difficile, ni désagréable.

Respirer c'est vivre, mais pour bien respirer le nez doit être propre. En effet, l'appareil respiratoire sécrète un mucus qui englue au passage les poussières de l'air avant leur arrivée dans les poumons ; les minuscules cils vibratiles qui, en ondulant en sens inverse du courant d'air inspiré, ramènent ces poussières vers la sortie. En nous mouchant, nous nous débarrassons en grande partie de ces mucosités, mais c'est considéré comme insuffisant par les yogis. La douche nasale, néti, nettoie à fond la muqueuse du nez qui est très richement innervée et, par voie réflexe, il est possible d'influencer le fonctionnement d'organes souvent très éloignés. Souvenez-vous qu'il existe une technique médicale appelée « réflexothérapie endonasale » qui vise à obtenir des effets thérapeutiques en titillant certaines terminaisons nerveuses de la muqueuse nasale. Quoi qu'il en soit, néti la nettoie à fond.

Le nerf olfactif, lui aussi, bénéficie de cette douche, ainsi que les yeux, grâce à l'intensification de la circulation sanguine dans les fosses nasales. De plus, néti nous blinde contre le rhume de cerveau, pour lequel aucun remède vraiment spécifique n'a encore été découvert.

La technique est simple.

Un bol plein d'eau tiède, salée, voilà tout le matériel nécessaire. L'eau non salée provoquerait un picotement par suite de certains phénomènes d'osmose. L'addition d'une cuillerée à café arasée de sel de cuisine ordinaire rétablit l'équilibre osmotique avec le milieu intérieur. Si l'eau est bouillie, tant mieux !

Tenez le bol horizontal et plongez-y les narines. N'aspirez pas l'eau comme vous inspireriez de l'air : elle entrerait avec trop de violence : avec la glotte, faites un petit mouvement de pompe dans l'arrière-gorge. L'eau montera insensiblement dans le nez, tant et si bien qu'après quelques coups de « pompe » vous percevrez un goût salé dans l'arrière-gorge. Evitez que de l'air n'entre en même temps que de l'eau. Cessez d'aspirer, attendez quelques secondes en laissant encore les narines dans l'eau, puis laissez l'eau s'écouler d'elle-même hors du nez et recommencez l'opération.

Après trois remplissages (davantage si vous le désirez) quelques expirations forcées en bouchant alternativement une narine chasseront l'eau restant dans les cornets du nez. C'est tout.

Essayez et voyez les résultats !

Dans mon *Prânayâma, la dynamique du Souffle*, je propose une autre formule pour pratiquer néti, plus un procédé pour bien assécher les narines après les avoir nettoyées à l'eau.

le dhauti de la langue

Pour les yogis, la propreté corporelle scrupuleuse est essentielle et constitue un des piliers de la santé. Notre hygiène est du même avis, mais elle se borne à la propreté externe, alors que dans le yoga, la propreté interne a été poussée à fond. D'où des méthodes de purification dont certaines — il faut l'avouer — rebutent l'Occidental, ou même provoquent chez lui une appréhension voire un certain dégoût. Je n'évoquerai pas ici les lavages de l'estomac, du côlon etc. qui sont d'ailleurs bien plus effrayants en imagination qu'en réalité.

Nous nous limiterons à une pratique de nettoyage peu courante en nos pays : le nettoyage de la langue, la langue dont Ésope disait que...

Or, notre hygiène ordinaire néglige cet organe... actif ! Certaines personnes, il est vrai, se brossent la langue à l'aide de leur brosse à dents. L'intention est bonne mais non la méthode car les poils irritent la langue, effectuent un nettoyage peu efficace et, avec le manche de la brosse, on risque de blesser cette structure très délicate qu'est le voile du palais.

Dans le procédé yogique, il est fait usage d'un « tongue-scraper » ou grattoir lingual, en bois. Vous pouvez le remplacer par une cuiller à café. Tournez-en la partie bombée vers le haut et à l'aide de l'arête, raclez la langue. Après quelques mouvements de raclage de l'arrière vers le bout de la langue, examinez la cuiller : vous serez convaincu de l'opportunité de cette opération ! Raclez ensuite la langue de gauche à droite et vice versa. Cessez quand le racloir ne ramène plus d'impuretés puis, devant le miroir, d'un geste très expressif sinon très distingué, rendu célèbre par Einstein, tirez la langue et voyez comme elle est propre et rose !

Pourquoi les yogis insistent-ils sur la propreté de cet organe ? D'abord pour le principe même de la propreté; ensuite ils considèrent la langue comme étant l'organe d'absorption du prâna (énergie sous une forme subtile) de la nourriture. Aussi longtemps que les aliments dégagent une saveur il reste encore du prâna à en extraire. Les papilles gustatives remplissent d'importantes fonctions, aussi nous y arrêterons-nous quelque peu. Elles travaillent notamment, par voie réflexe, en étroite collaboration avec les glandes salivaires : plus un mets est savoureux, plus abondante est la salivation.

Une bonne insalivation des aliments est de toute première importance, notamment en raison de la présence de ptyaline, ferment très actif contenu dans la salive, qui agit entre autres sur les féculents et les pré-digère. Mais les répercussions de l'excitation des papilles gustatives ne se limitent pas aux glandes salivaires. L'estomac, prévenu de l'arrivée prochaine du bol alimentaire, se prépare au travail. Bref, de proche en proche, toujours par voie réflexe, l'excitation des papilles gustatives influence l'ensemble de l'appareil digestif. Si la langue est chargée, les papilles sont « empoissées », engluées par des mucosités, les saveurs ne seront pas perçues dans toute leur fraîcheur, dans toute leur vivacité et, l'excitation étant beaucoup moins intense, l'action réflexe sera réduite en proportion.

Enfin une langue chargée est parfois la cause d'une haleine fétide. Combien de fois par jour faut-il se racler la langue ? Une ou deux fois suffit, par exemple au moment où l'on se brosse les dents. C'est une habitude à prendre, rien de plus.

O M

•

Alors le swâmi de Chidambaram dit à Yeats-Brown, auteur du livre *Les Lanciers du Bengale* :

— Répétez le son de base que je vous donne et qui sera votre mot de puissance, OM. Concentrez-vous sur ce mot qui existe depuis le commencement.

— Comment me concentrer ? demanda Yeats-Brown, "OM" n'a aucun sens bien défini pour moi. C'est un son plaisant, mais rien de plus !

— Il ne doit rien exprimer d'autre à présent. Concentrez votre mental sur ce son agréable, considéré comme le verbe par lequel les mondes furent créés, la racine de tout langage, la fin de la vision. Il agira dans votre inconscient, que vous l'aimiez ou non ; il ne doit pas être intellectualisé, et il ne faut pas s'attarder à son symbolisme [1].

Ces paroles du swâmi de Chidambaram indiquent l'im-

_____

[1] Extrait de *Lancer at Large* du même auteur.

portance primordiale accordée par les yogis à ce vocable mystérieux « OM »

Parmi les pratiques du yoga, sa prononciation est peu courante en Occident, tandis qu'en Inde — voire dans toute l'Asie — cette syllabe accompagne partout le voyageur. OM et le parfum du dhoop, encens à base de santal, sont omniprésents dans les ashrams, temples et cavernes. En Inde, OM est sacré, et sans doute est-ce cela qui nous empêche, en Occident, de lui accorder la place qu'il mériterait dans notre pratique yogique.

Le catholique se méfie, craignant d'introduire un rite « païen » qui pourrait l'entraîner dans l'hérésie et lui refuse toute considération ; l'incroyant n'y voit qu'une superstition dont il se détourne en haussant les épaules.

Pourtant « OM » est un vocable unique ; le prononcer régulièrement, loin de constituer une pratique absurde ou vaine, apporte beaucoup d'avantages tant sur le plan physique que mental : il mérite un examen objectif avant — éventuellement — de décider d'en rejeter la pratique.

J'ai cherché en vain dans la littérature, cependant déjà abondante consacrée au yoga, une explication rationnelle de ses effets. Pour la trouver, j'ai donc fait appel à ces alliés de toujours : une pratique sans préjugés, le bon sens et les données de notre science occidentale. Mais, au préalable, apprenons ensemble à émettre le son « AUM ». Couché ou assis, les lèvres entrouvertes, après une inspiration profonde, l'expiration freinée chasse le souffle qui, au passage, fait vibrer les cordes vocales en un « Au...... » prolongé jusqu'au vidage comple des poumons. Le son doit être aussi grave et uniforme que possible. Emis correctement, la main posée à plat sur le thorax (sternum) au niveau des clavicules, doit sentir une vibration. A la fin de l'expiration, fermer la bouche et achever, en contractant les abdominaux pour exhaler les derniers restes d'air en émettant un « m... » musé qui bourdonne dans le crâne. L'autre main, posée sur le sommet du crâne, doit aussi percevoir la vibration.

En appliquant les paumes sur les oreilles, vous entendrez d'autant mieux le « Au...m ».

Voici les effets qu'entraîne cette pratique :

1° EFFETS VIBRATOIRES

Le « Au... » fait vibrer toute l'ossature de la cage thoracique, ce qui prouve que la vibration se communique à la masse d'air enfermée dans les poumons, et que la délicate membrane des alvéoles en contact avec l'air vibre elle aussi, ce qui stimule ces cellules pulmonaires et permet un meilleur échange gazeux. Les récents travaux de nos physiologistes occidentaux nous apprennent aussi que cette vibration produit des effets très marqués sur les glandes endocrines, auxquelles la science accorde une importance croissante. Le docteur Leser-Lasario, notamment, a consacré 25 ans de sa vie de savant à l'étude des effets produits par les vibrations vocales sur l'organisme humain. Ses travaux ont établi, avec une rigueur scientifique absolue, que l'émission de voyelles durant l'expiration provoquait un auto-massage vibratoire des organes. Ces vibrations atteignent les tissus les plus profonds et les cellules nerveuses ; la circulation sanguine s'intensifie dans les tissus et organes intéressés. Les glandes endocrines, qui déversent leurs hormones directement dans le sang et la lymphe, sont stimulées (hypophyse, pinéale, thyroïde, thymus, surrénales, gonades). Le sympathique et le nerf vague n'échappent pas à l'influence bénéfique des vibrations vocales. La musculature de l'appareil respiratoire se trouve à la fois relaxée et fortifiée. La respiration s'amplifie et, avec elle, l'apport d'oxygène dans tout le corps. Le vibro-massage provoqué par l'émission des vocales « Au... » intéresse en particulier les viscères de la cage thoracique et de l'abdomen. Des ondes électromagnétiques produites par cette vibration, se propagent dans tout le corps et accroissent le dynamisme et la joie de vivre. La concentration s'améliore (voir ci-dessous effets sur le mental). Les expériences de Leser-Lasario ont prouvé que le corps tout entier se relaxe sous l'effet de ce vibromassage interne qui, psychiquement, libère des inhibitions, dépressions et complexes d'infériorité en harmonisant tout le psychisme. D'ailleurs, n'est-ce pas par vibration que la musique produit en nous les émotions les plus diverses ?

Le « mm » musé et vibré dans la tête, fait vibrer le cerveau et les nerfs crâniens.

2° EXPIRATION LENTE

L'émission du son « Au... » ralentit le débit de l'air expiré. Or, les avantages de la respiration lente vous sont connus.

3° EXPIRATION REGULIERE

Quand le son est uniforme durant toute l'émission, l'expiration est non seulement lente, mais régulière et sans saccades.

4° EXPIRATION COMPLETE

Le chapitre consacré à la respiration, nous révèle toute l'importance de l'expiration lente et complète, afin d'expulser un maximum d'air vicié des poumons et de réduire le volume d'air résiduel au maximum. A la fin du OM, vous avez la certitude d'avoir vidé les poumons au maximum.

Ce vidage intégral influence aussitôt l'inspiration qui devient ample et profonde elle aussi.

5° CONTROLE ET RELAXATION DE L'APPAREIL RESPIRATOIRE

L'expiration se produit par le relâchement des muscles de l'appareil respiratoire. Pour que le son émis soit uniforme, il faut que ce relâchement soit contrôlé. En cas de tensions au niveau de la gorge ou des muscles de la cage thoracique, le son émis est saccadé. Le son continu, sans à-coups, indique une maîtrise et un contrôle parfaits du relâchement progressif de tous les muscles de l'appareil respiratoire, d'où élimination des contractures inconscientes et certitude d'une bonne inspiration subséquente aisée et souple.

6° EFFET SUR LE MENTAL

Les effets que « Aum » produit sur le mental sont au moins aussi importants que sur le plan corporel. Tout d'abord rappelons que :

a) chez le civilisé cérébral, le contenu mental est surtout constitué de mots. Même en dehors de toute conversation ou lecture, nous nous parlons intérieurement, nous formons mentalement des phrases, au détriment de l'image. Observez-vous et vous verrez à quel point le mot pensé a refoulé l'image mentale. Or, la faculté de VISUALISER est une condition préalable au contrôle du mental, à l'apprentissage de l'art de penser, à l'acquisition de certains pouvoirs sur vous-même, car les images mentales sont dynamiques.

b) entre les mécanismes cérébraux de formation des phrases et l'appareil de phonation, il y a une étroite relation. Parler implique une énorme dépense d'énergie nerveuse.

La parole est une puissance : beaucoup de grands hommes étaient de grands orateurs. Eliminons les paroles inutiles, le bla-bla-bla : il en résulte une économie importante et immédiate d'influx nerveux, donc d'énergie disponible pour d'autres tâches.

Pendant que l'air sort lentement de vos poumons et fait vibrer vos cordes vocales, écoutez avec attention le long « Au... m », vous constaterez qu'il occupe entièrement le champ de la conscience et que les processus de formation de phrases sont inhibés.

Après une journée agitée, quel merveilleux moyen pour dissiper l'excitation et ramener calme.

Il va de soi que le « Aum » ne peut être émis de façon audible qu'à l'expiration ; toutefois, à l'inspiration vous pouvez l'écouter mentalement. Vous n'aurez, faut-il le dire, aucun des effets 1 à 5 ci-dessus mais, par contre, un approfondissement du calme mental. Lorsque les circonstances ne vous permettent pas d'exécuter cet exercice en émettant le son, vous pouvez le répéter intérieurement avec les mêmes résultats favorables pour le mental. Répétez souvent OM durant la journée dans le silence de votre mental et vous ressentirez le calme et la paix qu'il vous apporte.

LA SCIENCE DU MANTRA

Les mantras sont, en Inde, une science à part et dans ce qui précède, je n'en ai abordé que quelques aspects.

Si le sujet vous intéresse, voyez le chapitre que j'y consacre dans mon livre *Tantra, le culte de la Féminité*. J'y traite aussi les aspects symboliques et ésotériques des mantras. Pour le yoga indien, le mantra est un instrument polyvalent.

la relaxation

Tendu, crispé, nerveux, anxieux, l'homme moderne est pris dans l'engrenage infernal qui l'entraîne infailliblement vers le « stress », car sa nervosité constante ne lui permet pas de faire face aux exigences de la vie moderne impitoyable qui, derrière un décor confortable et aimable, cache un mécanisme inhumain et une lutte implacable pour la vie. Est-il surprenant que des millions de civilisés vivent avec l'impression déprimante d'avoir « perdu les pédales » et qu'une tâche insurmontable, qu'ils se sentent incapables de mener à bien, leur est imposée, sans pouvoir s'y soustraire ? La chimie moderne, avec ses tranquillisants, ses pilules du bonheur, leur accorde un répit fallacieux mais, à longue échéance, le remède est pire que le mal car il n'extirpe pas les causes de cette nervosité, de cette anxiété, mais se contente d'en inhiber les manifestations. Il existe cependant deux remèdes, à la fois préventifs et curatifs : la respiration contrôlée et la relaxation, cette dernière étant l'antidote le plus direct de la nervosité et de la tension.

En outre, sans relaxation il n'est pas de vrai yoga, pas de paix, pas de bonheur possible, ni même de santé. Un être tendu, même s'il a tout pour être heureux, s'interdit l'accès au bonheur. Enfin, la relaxation — et ce n'est pas la moindre de ses vertus — est la source secrète de la pensée créatrice. Rappelons Cicéron : « Seul l'homme relaxé est vraiment créatif et les idées lui viennent comme l'éclair ». La relaxation, même dans l'action, ne doit pas rester l'apanage des jeunes enfants et des animaux (le chat est un modèle du genre) ; nous devons réapprendre à nous relaxer consciemment quelques minutes par jour, pour pouvoir le rester en toutes circonstances. Toutefois, avant d'étudier les techniques qui mènent vers ce délicieux état de sur-repos, supérieur au sommeil lui-même, il faut en comprendre les mécanismes profonds pour saisir leur raison d'être et les appliquer intelligemment. L'art de la relaxation s'acquiert et, pour les personnes qui éprouvent pour la première fois cet état euphorique, c'est une révélation. Le corps devenu d'abord inerte et lourd, est abandonné, flasque et relaxé tandis que l'esprit semble voguer, détaché des contingences matérielles, hors de son enveloppe charnelle.

Faisons une brève incursion dans le domaine de l'anatomie, sans entrer dans des détails réservés aux spécialistes. Il existe, vous le savez, deux types de muscles : primo, les muscles volontaires, striés, reliés au squelette, qui nous permettent d'agir et de nous mouvoir à volonté, ces muscles striés sont, par exemple, la viande rouge exposée à l'étal du boucher. Leur particularité est de pouvoir se contracter, se raccourcir sur commande à la vitesse de l'éclair, sous l'influence d'une excitation nerveuse ; nous reviendrons tout à l'heure sur ce point. Secundo, les muscles lisses, qui entourent les vaisseaux du corps, constituent une bonne part des viscères creux, forment la musculature du tube digestif, des sphincters, etc. Ces muscles puissants, aux mouvements lents, échappent à l'action directe de la volonté, bien que les yogis parviennent à les contrôler — mais ceci, comme dirait Kipling, est une autre histoire.

Du point de vue de la relaxation ce sont les premiers qui sont visés et il faut se garder de dissocier le muscle du nerf qui le commande. Nous comparerons le muscle à un électro-aimant et le nerf a un fil conducteur relié à la centrale électrique, le cerveau, et examinerons les divers états dans lesquels ils peuvent se trouver.

a) LE TONUS

A l'état de veille, les muscles non actifs se trouvent dans l'état de tonus, tels des soldats en tenue de campagne, consignés à la caserne et prêts entrer en action. Sur les fils conducteurs circule un courant de faible intensité, l'électro-aimant est peu aimanté.

b) LA CONTRACTION

Suivant les besoins, sur un ordre de la centrale cérébrale, un courant plus intense voyage le long du fil conducteur et actionne l'électro-aimant, qui fournit son travail normal : le muscle se raccourcit, le bras se plie, les poings se serrent. Plus l'effort est grand, plus grand est le *nombre* de minuscules moteurs à électro-aimant qui s'enclenchent.

c) LA DECONTRACTION

Pendant le sommeil, l'homme se détourne du monde extérieur, tous les besoins sont satisfaits, le ministère des affaires étrangères et de la défense renseigne le calme sur tous les fronts, les soldats ôtent la tenue de campagne et s'en vont en permission. Le courant baisse sur le réseau, l'électro-aimant est presque totalement désaimanté, hors d'action, les muscles sont mous et flasques. Par mesure de sécurité toutefois, les troupes ne sont pas toutes permissionnaires, il reste quelques compagnies en alerte.

d) LA SUR-DECONTRACTION

I.es trois états ci-dessus sont normaux, habituels et alternent chez l'homme comme chez l'animal, plusieurs fois, voire des milliers de fois par jour. Il est possible, cependant, par une action consciente et volontaire de déconnecter plus complètement encore que dans le sommeil, les fils conduisant aux divers électro-aimants et de réduire la tension du courant presque à zéro, donc de ramener la consommation d'influx nerveux à un minimum. Ce sur-repos, c'est la relaxation yogique, qui, en quelques minutes, efface mieux la fatigue que des heures de mauvais sommeil.

e) LA CONTRACTURE

Un autre état, anormal quoique fréquent, se situe aux antipodes du précédent : c'est l'état de contracture. La centrale envoie trop de courant dans les fils conducteurs et met sans nécessité en action trop d'électro-aimants, d'où un gaspillage d'énergie nerveuse autant que musculaire. Des groupes musculaires restent ainsi inutilement contracturés en permanence. Chez l'animal, cet état ne se présente normalement pas, mais existe, hélas, trop souvent, chez tant de citadins modernes.

Combien vivent avec les mâchoires perpétuellement serrées, les muscles du cou tendus, les sourcils froncés, les muscles des épaules durcis ? C'est une fuite continue de courant, une déperdition constante d'énergie, une hémorragie d'influx nerveux. Ils déchargent leurs batteries en pure perte, car la dépense d'énergie nerveuse dépend plus du nombre de moteurs musculaires mis en action que de la puissance même de chacun d'eux. Comme il faut presque autant d'influx nerveux pour contracter un petit muscle du visage qu'un gros muscle des jambes, la consommation d'influx sera non seulement proportionnelle au nombre de moteurs mis en action, mais à l'intensité du courant qui circule sur chacun des fils conducteurs que sont les nerfs. Le bûcheron, par exemple, utilise relativement peu d'influx nerveux pour fournir un travail musculaire important, tandis que le professeur ou l'orateur dépensent beaucoup d'énergie nerveuse, à cause du grand nombre de muscles mis en action. Une dactylo consomme plus d'influx qu'un forgeron ! Cela explique d'ailleurs la valeur dynamogène du silence par l'économie d'influx nerveux qu'il réalise. Représentez-vous ce qui se passe quand vous parlez. Une idée surgit dans votre mental conscient, venant des profondeurs de l'inconscient. Il faut d'abord la traduire en mots que votre inconscient vous fournit sur-le-champ, dans l'ordre voulu par la syntaxe. Pour articuler, pensez au nombre incalculable d'ordres très précis qui doivent parvenir aux muscles pour tendre et détendre les cordes vocales et faire varier constamment le débit de l'air. Pensez aux innombrables contractions des muscles de la langue, des mâchoires, des lèvres, du visage et même des mains qui participent à l'expression par gestes. Pour chaque phrase, des milliers de petits moteurs sont mis en action, chacun réclamant sa part de courant. Est-il donc étonnant qu'un discours de deux heures puisse « vider » un homme ? Bien rares sont les orateurs qui arrivent au bout d'un discours de cette durée sans être épuisés... à moins de connaître et de pratiquer les techniques yogiques de récupération nerveuse. Dans ce cas, la tribune leur appartient sans effort, même durant des heures... La pratique du silence, recommandée par swâmi Sivananda se trouve ainsi justifiée. Mais, il faut stopper aussi le verbalisme mental car « se parler à soi-même » est presque aussi fatigant, du point de vue dépense de « courant nerveux », que de parler à haute voix. Quand vous pensez en mots, outre les cordes vocales, tout l'appareil phonétique esquisse les mouvements qu'il devrait effectuer pour articuler à haute voix. Ce n'est donc pas seulement le silence extérieur, purement « mécanique », qui importe, mais aussi le silence intérieur.

La relaxation est du yoga à l'état pur, puisque le mental contrôle intégralement le corps, en déconnectant un à un tous les « fils conducteurs » en réduisant presque à zéro l'envoi de courant vers les électro-aimants musculaires répartis dans tout l'organisme. C'est l'exercice idéal pour la volonté telle que les yogis la conçoivent, c'est-à-dire non pas une puissance dure et dictatoriale qui se fait obéir à la cravache, mais un vouloir doux et patient. Pendant la relaxation, il est exclu d'utiliser la volonté « dure » à l'occidentale, il est impossible de « forcer » la relaxation, et la maîtrise du mental sur le corps s'exerce de la façon la plus efficace, c'est-à-dire sans contrainte ni violence.

Avant de voir en détail comment provoquer cette décontraction absolue, nous devons passer en revue les positions de relaxation, dont la principale s'appelle Shavâsana, qui signifie littéralement la pose du Cadavre.

Cette dénomination macabre est-elle si mal choisie ?

Ayant rendu un dernier hommage à un défunt, n'avez-vous pas entendu les proches s'étonner : « Mort, il est plus beau que vivant ». Il l'est devenu parce que la mort lui a imposé le relax complet ; ses traits se sont détendus et une étrange beauté émane de son visage. Cette beauté aurait pu être la sienne, décuplée par la chaleur de la vie, s'il avait su se détendre vraiment. Il ne peut y avoir de vraie beauté sans relaxation et la plus jolie femme n'est jamais vraiment belle si elle est crispée ; inversement, un visage détendu n'est jamais laid, un charme mystérieux s'en dégage.

Pratiquez la relaxation et rayonnez le calme, la paix et l'harmonie autour de vous et vous deviendrez un centre d'attraction ! Le choix de ce nom lugubre « Pose du Cadavre » caractérise l'attitude orientale face à la mort. Pour nous, elle marque la fin de notre individualité ; c'est pourquoi nos funérailles sont tristes. Pour l'Oriental qui croit, à tort ou à raison, en la réincarnation, la mort est un incident anodin dans le cycle de l'évolution et elle n'a pas ce caractère tragique que nous lui attribuons. Vue sous cet angle, elle n'est pas un événement triste.

En général, seule Shavâsana est connue en Occident, mais en Inde, les yogis utilisent plusieurs postures pour la relaxation, notamment sur le flanc, fort précieuse pour dormir, car ils recommandent de ne pas dormir sur le dos, position qui entraîne souvent le ronflement parce que la bouche s'ouvre d'elle-même. Il est préférable de dormir sur le flanc gauche. Pourquoi ? L'explication occidentale est la suivante : l'estomac, formant une poche, est bien soutenu lorsqu'on est couché sur ce côté, tandis qu'il se trouve placé en porte-à-faux si l'on repose sur le côté droit. L'explication yogique est différente. Sur le flanc gauche, la narine droite se dégage et l'on respire durant toute la nuit par cette narine. Fins observateurs, ils ont découvert les effets favorables de cette pratique.

Apprenez ces deux positions afin de découvrir celle qui vous donne le maximum de confort. Avant de les décrire, écoutons cette réflexion d'un adepte occidental : « Si le yoga ne m'avait donné que la relaxation, ce serait déjà merveilleux ». Vous partagerez son avis lorsque, vous aussi, l'aurez découverte.

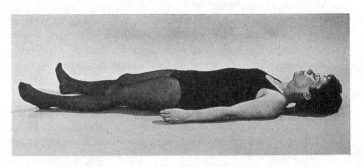

La pose de relaxation la plus classique et la plus connue en Occident, Shavâsana, la pose du cadavre. Les pieds s'écartent légèrement l'un de l'autre. Les bras sont étendus mollement le long du corps. Les mains sont tournées vers le haut ou légèrement déviées vers l'intérieur, les doigts à demi repliés. La tête doit être très soigneusement posée au sol dans une position telle que des contractures ne se produisent pas dans la nuque pendant la relaxation. Toujours se relaxer sur un support DUR. Si c'est nécessaire, placer un coussin sous les reins et sous la nuque.

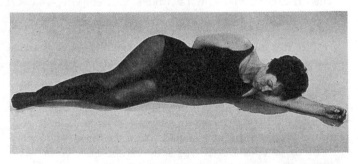

Pour se relaxer sur le flanc, replier une jambe et lui superposer l'autre, c'est-à-dire que les genoux seront en contact ainsi que les chevilles. La tête s'appuie sur le bras allongé, l'autre bras pendant mollement sur la hanche. Cette position ne convient pas pour des séances de relaxation prolongée.

La même vue de dos

la relaxation (suite) :
ses conditions préalables

Avant de semer, il faut labourer ; avant d'aborder la pratique de la relaxation, commençons par déterminer les conditions préalables à l'expérience de la relaxation totale.

Celui qui a maîtrisé l'art de la relaxation reste détendu en toutes circonstances, qu'il pilote une voiture dans le trafic intense à l'heure de pointe, qu'il écoute un concert ou qu'il soit en discussion d'affaires, partout il est maître de soi, relâché, ni tendu, ni crispé. La relaxation est devenue habituelle et indépendante des événements. Mais pour atteindre ce résultat, en mettant le maximum de chances de son côté, il faut s'exercer à la relaxation intégrale en réunissant les conditions les plus favorables.

La première consiste à éliminer, dans toute la mesure du possible, les excitations sensorielles. Réfugiez-vous dans une pièce où vous ne serez pas dérangé. Obtenez de vos proches qu'on vous laisse en paix durant les quelques minutes que dure l'exercice. Tirez les rideaux pour créer une demi-obscurité. Si la pièce a été bien aérée au préalable, il n'y a pas d'inconvénient à fermer la fenêtre afin d'estomper au maximum les bruits de la rue. La température sera agréable, aussi est-il préférable de s'envelopper dans une couverture légère et chaude car, pendant la relaxation, la température du corps baisse vite et la sensation de froid nuirait à la réussite de l'exercice. Rien ne doit vous gêner. Si vous pratiquez vêtu, desserrez au moins la ceinture et le col, ôtez vos chaussures.

Maintenant, il faut créer l'ambiance propice à la relaxation. Nous avons tous nos problèmes et nos soucis : écartez-les pour toute la durée de l'exercice. Dites-vous : « L'anxiété crée des tensions qui font obstacle à la solution de mes problèmes. Me relaxer est primordial pour les résoudre : cet exercice est donc, pour l'instant, la seule chose importante. » Pensez : « Je suis calme et détendu ». Installez-vous devant votre miroir et souriez. Puéril ? Peut-être ! Mais si ça marche ? Et comment le savoir sans l'essayer ?... Après avoir fait abstraction de vos préoccupations, bâillez et étirez-vous. Frottez-vous les yeux, faites semblant d'avoir sommeil et d'être fatigué. Il est superflu de vous décrire le processus : votre instinct vous guidera. En vous étirant, tendez et écartez les doigts. Si vous ne savez pas comment procéder, imitez le chat qui s'étire suivant un rituel immuable ! Etirez-vous d'abord en étant couché sur le dos, puis roulez sur le flanc en vous tournant vers la gauche; recommencez l'opération à droite. Après avoir bâillé et vous être étiré avec soin, vous vous sentirez d'humeur au « non-agir », car se relaxer c'est s'exercer au non-agir, ce qui semble une lapalissade mais en fait est un principe de base souvent ignoré ! Ne vous dites pas : « Je vais faire un exercice », disposez-vous au contraire à vous laisser aller, à « lâcher prise », à vous abandonner : c'est capital.

Voici un exercice-test qui permet à la fois de contrôler et d'exercer votre capacité de « non-agir ».

Debout, écartez les pieds et penchez le tronc vers l'avant,

presque à angle droit par rapport aux jambes.

Laissez pendre les bras mollement.

D'un mouvement des épaules de gauche à droite, faites balancer les bras comme les battants d'une cloche. Veillez à ce que les bras et les mains soient réellement ballants ; évitez qu'ils ne participent activement au mouvement. Quand le balancement est bien amorcé, stoppez le mouvement des épaules et laissez les bras osciller librement de gauche à droite sous l'impulsion acquise. L'amplitude du balancement diminue vite ; laissez chaque bras s'immobiliser peu à peu comme un pendule qui s'arrête. Dirigez votre attention vers ce qui se passe dans les bras et les mains. Si les mains ne sont pas molles et détendues, recommencez l'exercice, après les avoir secouées par une impulsion du poignet, de façon que les doigts pivotent librement avec le mouvement de la main. Répétez l'exercice jusqu'à ce que seule l'action de la pesanteur guide les mouvements des bras et des mains pendant l'oscillation pendulaire, sans aucune intervention musculaire de votre part ; vous apprendrez ainsi à leur donner une attitude passive. Pour contrôler la relaxation des bras, asseyez-vous par terre ou sur une chaise. Laissez pendre, inertes, le bras droit et la main comme pendant le balancement. De la main gauche saisissez le majeur ou l'index de la main droite et soulevez le bras. Si c'est possible, vous demandez à une autre personne de contrôler la relaxation de votre bras en le soulevant par une traction sur l'index, puis en le faisant osciller de droite à gauche. L'aide et vous-même devez avoir l'impression que ce bras est mort, lourd, suspendu à l'index comme un jambonneau à son crochet. A l'improviste, l'aide lâchera votre doigt : si le bras est bien relaxé, il retombera comme une masse molle. Pour vous rendre compte dans quel état votre bras doit être, soulevez celui d'un enfant endormi ou la patte d'un chaton assoupi.

Vous allez maintenant faire l'expérience de la pesanteur dans tout le corps. Voici comment : dans l'eau bien chaude de votre bain, vous vous sentez détendu et relaxé à la fois par la chaleur de l'eau et par l'apesanteur, car dans votre baignoire vous ne pesez quasi rien. Sans sortir du bain, ôtez le bouchon et laissez l'eau s'écouler. A mesure que vos membres émergeront, vous vous sentirez attiré vers le fond de la baignoire, vous vous affaisserez comme un pantin et deviendrez lourd, lourd ! Apprendre à créer à volonté cette sensation de pesanteur, en dehors de l'eau, c'est le premier degré de la relaxation. A cet effet, couchez-vous en Shavâsana, les bras le long du corps, la paume tournée vers le haut. Sentez que la terre attire chaque cellule de votre bras, chaque molécule, chaque atome. Pensez à la puissance de l'attraction terrestre et abandonnez-lui votre bras. Laissez-le peser lourdement sur le tapis. Essayez de le soulever en ne contractant que les muscles de l'épaule, vous percevrez alors combien il est pesant. Plusieurs jours s'écouleront sans doute avant de ressentir cette impression de pesanteur. Qu'importe, vous y parviendrez ; l'essentiel est de focaliser l'attention dans le bras et de l'abandonner à la pesanteur. Vous pouvez aussi relâcher d'abord la main, doigt par doigt, ensuite la paume, le poignet, l'avant-bras, le bras jusqu'à l'épaule. Parcourez ainsi plusieurs fois le bras entier du bout des doigts à l'épaule. Même si vous ne parvenez pas à le détendre à fond, sachez que vous accomplissez malgré tout un travail très important : la localisation des zones de tension et de contracture dont il faut d'abord devenir conscient pour pouvoir les éliminer ensuite. Vous ne perdrez donc pas votre temps, même si l'exercice est imparfaitement réussi, l'essentiel est de persévérer. Les résultats suivront et dans la plupart des cas, après quelques jours de patience, des progrès sensibles se manifesteront. Chaque essai vous gratifie d'une sensation agréable de repos et de détente. L'exercice de la relaxation du bras peut se pratiquer partout. S'il vous arrive de faire antichambre quelque part, profitez de cette attente pour vous exercer à la relaxation. Ainsi, ce temps creux, au lieu de vous énerver, contribuera à vous détendre.

approfondissons
la relaxation

Chaque jour, dans les profondeurs de nos tissus, des millions de cellules meurent, remplacées dans le même temps par d'autres. Par contre, nos cellules nerveuses ne se renouvellent PAS. Nous sommes nés avec elles et elles mourront avec nous. Elles sont le support physique le plus intime de ce que nous appelons notre « personnalité ».

Si nous les surmenons, si nous les épuisons, nous les menons à leur destruction ; comme elles sont irremplaçables, nous créons des lésions irrémédiables et nous abrégeons nos jours. La relaxation nous ouvre l'accès au monde intérieur, au yoga mental, car il est impossible de se concentrer si le corps est noué par des contractures.

Notre but est donc de relaxer complètement tous les muscles et de réaliser l'hypotonie la plus poussée.

Les exercices précédents visaient à préparer progressivement cette relaxation intégrale, qui procure une délicieuse sensation de légèreté, une euphorie qu'il faut avoir éprouvée pour l'apprécier. Nous pouvons maintenant conduire plus loin notre effort. Vous êtes donc couché à plat-dos sur le sol, dans la position de Shavâsana.

Observez d'abord la respiration, dont vous devenez le témoin passif. Dirigez votre attention vers l'acte respiratoire, sans l'influencer. C'est plus difficile qu'il n'y paraît car le fait même de prendre conscience des mouvements respiratoires nous incite à les modifier.

Laissez-vous respirer. Observez où et comment vous respirez et sur quel rythme. Respirez-vous du haut de la poitrine, où le souffle se place-t-il ? Ou au milieu de l'abdomen, entre le nombril et le sternum à l'endroit où devrait se situer le centre de gravité respiratoire ? Etant couché, immobile, les besoins de l'organisme en oxygène sont minimes, par conséquent les mouvements respiratoires seront d'amplitude réduite.

Qu'importe, laissez faire.

L'essentiel, c'est de percevoir où et comment vous respirez, puis de laisser un rythme s'installer, lent et régulier, calme et paisible. Si votre respiration est oppressée, ou si son rythme est irrégulier, pour régulariser votre souffle pensez : « Ma respiration est calme et régulière. Le ventre se soulève et s'abaisse calmement, régulièrement ». Continuez jusqu'à ce que vous perceviez ce calme intérieur, cette respiration paisible. Dès cet instant, vous vous sentez déjà plus « relax ».

Maintenant, vous allez influencer l'expiration, la rendre plus lente, mais pas plus profonde. Laissez l'expiration se faire spontanément, comme pour un soupir sans la pousser plus loin qu'elle ne désire aller d'elle-même. Contentez-vous de la freiner, de la prolonger jusqu'à ce qu'elle s'étende environ au double du temps de l'inspiration. Pourquoi le double ? Parce que c'est naturel. Observez la respiration d'un chat endormi, vous constaterez que l'expiration, toujours aisée, prend deux fois plus de temps que l'inspiration. Un bébé vous l'apprendra aussi. La respiration et la relaxation sont

80

les volets d'un diptyque. Après une telle expiration ralentie, stoppez un instant votre souffle : il suffit de marquer un bref temps d'arrêt à poumons vides. Pendant ce temps, dirigez l'attention vers le plexus solaire, au creux de l'estomac. Vous objecterez qu'il vous est impossible de se concentrer sur le plexus solaire, puisqu'on ne le perçoit pas. Contentez-vous de fixer votre attention sur la zone où doit se placer le centre de gravité de l'acte respiratoire, au creux de l'estomac, un peu plus haut que le nombril, et imaginez que le va-et-vient du souffle le réchauffe. S'il le faut, imaginez que vous êtes couché au soleil et qu'il réchauffe cette partie du corps. Continuez jusqu'à percevoir cette sensation particulière qu'on ressent pendant un bain de soleil par une journée torride et qui ressemble à un frisson.

Franchissons une nouvelle étape.

Concentrez maintenant l'attention, sans effort, vers le bras et la main droite. Relâchez les doigts un à un, sans oublier le pouce, ôtez toute force de la paume. Si le dos de la main touche le sol, les doigts seront légèrement repliés.

Vous devez être capable, après avoir réussi les exercices décrits plus haut, de relâcher rapidement et complètement la main et le bras, de les rendre inertes. Vous avez appris à y percevoir une sensation de pesanteur, le degré suivant sera d'y produire une sensation de chaleur. Ce n'est pas de l'autosuggestion ! Dès que vous pouvez relaxer les muscles dans une partie du corps, le calibre des vaisseaux sanguins s'y modifie, ils se détendent et il s'y produit une vasodilatation qui engendre de la chaleur, tandis que si vous étiez crispé et tendu, la contracture spastique des vaisseaux sanguins réduirait leur calibre et freinerait la circulation, provoquant une sensation de froid.

Dans un muscle relaxé, l'irrigation sanguine s'accentue, par conséquent la respiration cellulaire s'amplifie, la chaleur corporelle augmente. Quand les spasmes vasculaires vous glacent les mains, ce n'est pas de l'autosuggestion mais une réalité objective.

SCHEMA DE LA RELAXATION TOTALE

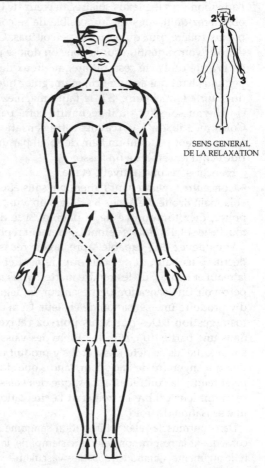

SENS GENERAL
DE LA RELAXATION

LE RELAX INTEGRAL

La pratique des exercices décrits plus haut met la relaxation totale et profonde à votre portée : pour l'obtenir, il suffit de parcourir le corps de bas en haut, étage par étage, en relâchant au passage tous les muscles.

Pourquoi de bas en haut ?

Parce que l'expérience apprend que les muscles volumineux se relaxent le plus facilement. Il est donc logique de commencer par le bas, les muscles des jambes étant les plus gros, et ceux du visage parmi les plus petits du corps.

Pendant la relaxation totale, il faut garder une immobilité absolue, car esquisser le moindre mouvement, par exemple pour contrôler la relaxation du bras, recontracte des muscles et retarde la relaxation intégrale. Il est inutile de vouloir vérifier votre relaxation car, pendant les premières minutes, il ne se présente aucune sensation particulière.

Mentalement, parcourez le corps en relaxant d'abord les pieds (orteils, cheville, talon), pour passer ensuite aux mollets. Procédez par fractions, progressant d'articulation en articulation, donc de la cheville au genou ; puis du genou à la hanche, sans essayer de relâcher la jambe d'un coup. Arrivé à la hanche, relâchez l'abdomen, faites le tour de la ceinture, relaxez les muscles du bas du dos, puis ceux de la région de l'estomac ; remontez ensuite vers le haut de la poitrine, faites le tour du thorax, enfin, relâchez le haut du dos. Après, vous relaxerez le cou (gorge, région de la thyroïde) puis le visage, où il faudra relâcher avec soin, un à un, une multitude de petits muscles, dont certains sont contracturés en permanence. Pour le visage commencez par la mâchoire inférieure.

Peut-être découvrirez-vous, à cette occasion, que vous serrez les dents en permanence. Laissez donc la mâchoire inférieure s'affaisser, toutefois sans que la bouche s'ouvre. Ne pas oublier de relâcher la langue qui doit devenir toute molle. Puis, détendre les muscles entourant la bouche (lèvres) et les ailes du nez. Laissez les joues devenir flasques ce qui rend le masque inexpressif. Vous acquerrez ainsi l'impassibilité orientale et votre visage impénétrable ne trahira pas vos émotions quand tel sera votre désir. Reprenons notre relaxation.

Nous arrivons aux yeux, qu'il faut détendre méticuleusement. Posez les paupières gentiment, sans effort, sur les globes oculaires, sans les serrer, ni les laisser vibrer ou frémir. Après les yeux, relaxons le front. Combien de personnes froncent les sourcils inconsciemment ! C'est au front, ainsi qu'à la nuque et aux épaules, que se localisent les crispations dues à l'anxiété. D'où l'expression « un front soucieux ». Puis relâchez le cuir chevelu. Maintenant, notre exploration systématique du corps va partir du bout des doigts. Relâchez tour à tour chaque doigt, sans oublier les pouces, détendez la paume et le poignet, remontez le long de l'avant-bras jusqu'au coude, puis jusqu'aux épaules, en relâchant au passage les muscles du bras. Après les épaules et les omoplates, longez la nuque, et, en passant par les oreilles, revenez aux joues, aux ailes du nez, aux yeux, au front et au cuir chevelu. Il est bon de relaxer une seconde fois le visage, si difficile à relâcher.

Après avoir parcouru tout le corps de bas en haut, répétez la même opération et vous constaterez qu'entre-temps certains muscles se sont déjà recontractés. Le second tour s'effectue plus rapidement que le premier. Si vous en avez le temps — prenez-le ! — parcourez une troisième fois le même circuit de décontraction.

Le stade suivant va nous permettre de percevoir l'état de relaxation.

Jusqu'à présent, aucune sensation particulière ne s'est manifestée ; comme convenu vous êtes resté rigoureusement immobile, donc rien ne vous indique que vous réussissez l'exercice ou non. La première sensation qui vous renseignera que tout va bien, sera celle de pesanteur.

Il s'agit de percevoir l'attraction terrestre généralisée à tout le corps en ayant recours, s'il le faut, à l'image mentale que le sol est un gigantesque aimant attirant votre corps, ce qui est d'ailleurs vrai. Chaque fibre du corps, chaque cellule, chaque goutte de sang, chaque molécule de votre corps subit cette attraction. Sentez la pesanteur s'exercer sur vos pieds, vos mollets et vos jambes. Sentez-les devenir de plus en plus lourds. Ici non plus il ne s'agit pas d'une autosuggestion, mais bien de la perception d'une action, non ressentie à l'état normal, qui se manifeste quand les muscles se détendent. Comme votre tronc pèse sur le tapis, irrésistiblement attiré par le sol ! Comme votre tête est lourde ! Quant au visage, c'est à la mâchoire inférieure et aux joues que la pesanteur est le mieux perçue. Après la tête, revenons aux mains, sentez-les devenir inertes et lourdes. Puis, c'est au tour des avant-bras et des bras, tandis que les épaules s'affaissent. Si possible, répéter rapidement une seconde et une troisième fois l'expérience de la pesanteur dans tout le corps.

A ce stade il est possible d'éprouver l'état de relaxation impossible à décrire, où le corps est oublié, et semble immatériel.

Quel est le mécanisme physiologique à la base de cette sensation ? Le voici : pendant la première partie de l'exercice où vous décontractez les muscles, les nerfs moteurs cessent d'envoyer des ordres, ils sont déconnectés. Aussitôt, les cellules nerveuses motrices en profitent pour se reposer, bientôt imitées par les cellules des nerfs sensoriels (ceux qui transmettent au cerveau les messages des sens), ce qui amène cette sensation étrange et délicieuse de perdre peu à peu conscience et contact du corps. Après un certain temps, on a l'impression de flotter hors de son corps, ce qui peut déconcerter les personnes non averties et caractérise une relaxation intégrale qui, avec de l'entraînement, se produit de plus en plus vite, gagne en profondeur. Si vous n'atteignez pas d'emblée cet état, ne vous étonnez pas, ne perdez pas courage, c'est tout à fait normal. Continuez ! Continuez toujours ! Il faut parfois des semaines pour y parvenir, mais en aucun cas l'exercice n'est inutile.

Par la relaxation, les cellules nerveuses sont plongées dans un véritable bain de jouvence ; débarrassées pour quelque temps du souci de commander les mouvements du corps ou de transmettre les messages des sens, elles extraient plus de repos de quelques minutes de relax que de longues heures de sommeil agité. Cet état de « sur-repos » leur permet de récupérer à une allure record. Cette faculté de se déconnecter vite et à fond, constitue le secret de ces hommes réputés pour leur endurance physique et mentale. Napoléon s'accordait souvent au cours de la journée quelques minutes de relax complet pour reprendre ensuite le travail, frais et dispos.

Cet état d'hypotonie intégrale constitue un point de départ, non un but final, car la relaxation *psychique* en est le couronnement. Le relax physique prépare le relax psychique qui, à son tour, approfondit plus encore la relaxation physique. L'état de relaxation corporelle intégrale est la piste d'envol vers la découverte du merveilleux monde intérieur qui constitue l'expérience culminante du yoga physique, l'endroit où il rejoint le yoga mental. Quand l'exercice de relaxation est terminé, il faut — presque à regret — reprendre contact avec le quotidien et ramener les muscles et les nerfs à leur état de veille normal. A cet effet, serrer progressivement les poings, s'étirer, se frotter les yeux et bâiller comme au sortir d'un sommeil profond et réparateur. Cette remarque ne s'applique pas au relax à pratiquer avant de s'endormir, c'est évident !

Ouvrons une parenthèse. Il arrive que des insomniaques voulant se servir des techniques de la relaxation pour s'endormir sans drogues, n'y parviennent pas. C'est tout à fait normal. Il faut être bien entraîné à la relaxation diurne avant de l'utiliser pour s'assoupir plus vite. L'explication est simple :

chez le débutant, la relaxation requiert une attention active qui garde le cerveau lucide, ce qui est sans inconvénients dans la journée et n'entrave pas la relaxation, mais cela peut, par contre, empêcher de s'endormir. Le paradoxe n'est qu'apparent.

LE RELAX ECLAIR

On ne dispose pas toujours du temps nécessaire à un relax complet, qui requiert de quinze à vingt minutes. Il faut donc s'exercer au « relax éclair », en se couchant sur le dos, en laissant tous les muscles du corps se transformer le plus vite possible en une pâte molle et en devenant pareil à un pantin dont on aurait coupé les ficelles. Ce relax éclair est d'ailleurs pratiqué par les yogis entre les âsanas et ne prend que quelques secondes : le temps de faire une ou deux respirations complètes. Imitez-les, même si vous n'atteignez pas leur degré de perfection, laquelle s'acquiert peu à peu.

Dans le courant de la journée, profitez de chaque occasion qui se présente, pour intercaler des relax éclair, même en position assise : ce n'est pas du temps perdu car vous en retirerez d'immenses dividendes en équilibre nerveux.

la prise de conscience

Une séance de yoga comprend :
a) des exercices pour réchauffer les muscles et les préparer aux âsanas, c'est-à-dire les postures. La Salutation au Soleil constitue le « cœur » de cette « mise en train » ;
b) la prise de conscience ;
c) la série des âsanas, clôturée par une relaxation totale en Shavâsana.

La Salutation au Soleil, composée de douze mouvements, entraîne une certaine accélération cardiaque et respiratoire, sans toutefois amener de l'essoufflement. Avant d'entamer la série d'âsanas, un certain temps s'écoule avant que les pulsations et le souffle ne retrouvent leur rythme normal. Ce temps sera consacré à la prise de conscience, qui doit constituer en outre, une transition entre la vie ordinaire et la séance d'âsanas qui devient une oasis de calme et de paix dans le tumulte de la vie. Pendant les âsanas, le mental contrôle les mouvements du corps : c'est essentiel et constitue la base même du yoga, mais il est impossible au mental de se concentrer sur l'alternance des contractions et décontractions de groupes musculaires dont il n'aurait qu'une perception consciente imprécise. Or, l'adulte civilisé, devenu presque un cérébral pur, n'a plus qu'une vague conscience de son propre corps. Tant de personnes se savent tendues, crispées, mais sont incapables de localiser ces contractures avec précision.

Tant d'êtres humains respirent mal, superficiellement, et ignorent même s'ils respirent de l'abdomen, du thorax ou uniquement du haut des poumons.

Les enfants, par contre, sont encore très conscients de leur corps et il est surprenant de voir avec quelle facilité ils réalisent le nauli (1)

Cet exercice, à la fois spectaculaire et efficace, est l'un des plus difficiles à enseigner, car il n'y a rien à « expliquer », il n'y a pas de « truc ». Il est exceptionnel qu'un adulte arrive à réaliser nauli en moins de quatre à cinq semaines de pratique. Par contre, montrez-le à un enfant : même sans l'accompagner de la moindre explication, s'il en a l'envie, après quelques essais il isolera ses muscles grands droits et, toujours sans avoir besoin d'explications, il les fera bientôt « tourner ».

Il est indispensable que l'adulte rétablisse le contact avec son corps s'il veut se contrôler, se perfectionner et c'est là le but de la prise de conscience.

Cette prise de conscience sera centripète, c'est-à-dire en partant des couches externes, la conscience progressera en profondeur. Il s'agira de prendre conscience successivement :
a) des sensations de contact cutané ;
b) des muscles ;
c) de la respiration ;
d) d'un organe profond.

----

(1) Nauli : Barattage abdominal pendant lequel les muscles grands droits, faisant saillie au milieu du ventre donnent l'impression d'un mouvement rotatif grâce à un jeu de contractions et décontractions successives.

a) SENSATIONS DE CONTACT

Nous dirigerons d'abord l'attention vers la peau, pour y percevoir un maximum de sensations cutanées, aussi nettes que possible. Couché, sur le dos de préférence, en Shavâsana, l'adepte explorera, par le mental, systématiquement toute la peau, à l'affût de toutes les sensations de contact. L'ordre d'exploration correspond à celui de la relaxation (croquis page 84), c'est-à-dire en partant des pieds ressentir d'abord le contact des talons avec le tapis, puis remonter le long des mollets, des cuisses et, au passage, prendre conscience de toutes les sensations tactiles.

A la cuisse, là où le slip commence, distinguer la différence de sensation de chaleur sous le slip, le contact de l'étoffe, de l'élastique à la ceinture. Puis remontez le long du tronc et sentez le contact du dos avec le tapis, le poids de la tête au sol, les cheveux dans la nuque. Dans la pulpe des doigts appuyés contre le tapis naissent des sensations très différentes de celles provenant des talons, par exemple. Dirigez votre attention dans chaque doigt. Si vous portez une alliance ou une bague, habituellement vous n'en avez plus conscience ; observez le contact du métal avec la peau, de même que celui de votre bracelet ou bracelet-montre, puis remontez le long du bras vers le coude jusqu'à l'épaule et sentez le tapis. Vous aurez ainsi exploré toute la surface de la peau. Si vous êtes couché en plein air, sentez, percevez les rayons de soleil qui vous réchauffent, ou la caresse du vent. Bref, récoltez un maximum de messages sensoriels provenant de la peau.

b) LES MUSCLES

L'éducation du sens musculaire constitue une bonne partie du système culturiste et bien que les objectifs du yoga soient totalement différents, aiguiser le sens musculaire est indispensable à la pratique du yoga.

Nous allons donc maintenant nous efforcer de sentir nos muscles, d'abord les grands groupes, puis, notre perception s'affinant avec l'exercice, nous arriverons à « sentir » individuellement même les petits muscles.

Pour prendre conscience des muscles il faut les contracter, esquisser de menus mouvements, presque imperceptibles. Toujours allongé sur le dos, remuez les orteils, l'un après l'autre, en vous concentrant sur les muscles en mouvement : sentez, sous la peau, toute cette « mécanique » se mettre en branle. Les sensations extérieures ne doivent plus capter votre attention, mais uniquement les sensations internes provoquées par les mouvements que vous esquissez. Faites maintenant bouger tout le pied ; pour cela il faut obligatoirement contracter les mollets : focalisez votre attention sur leur musculature, puis contractez les fesses et les cuisses. Sentez les masses musculaires vivre sous la peau. Passez ensuite à l'abdomen : contractez la sangle, faites le tour de la ceinture, contractez les muscles du bas du dos. Explorez le tronc et faites bouger tous les muscles que vous pourrez, y compris les pectoraux et les muscles du haut du dos. Le cou n'échappera pas à cette exploration systématique.

Nous arrivons au visage. Une ample moisson de perceptions vous attend là, étant donné le nombre élevé de petits muscles très mobiles qui s'y trouvent.

Commencez par faire bouger les mâchoires, lentement, de gauche à droite, sans grincer des dents. Percevez tous les muscles qui entrent en action, remuez la langue, puis les lèvres, esquissez un mince sourire style Joconde. Faites bouger les ailes du nez, élargissez le sourire et sentez la musculature des joues en mouvement. Sous les paupières closes, faites rouler les globes occulaires dans les orbites, serrez puis desserrez les paupières, froncez et relâchez le front, relevez et abaissez les sourcils en sentant les muscles se contracter sous le cuir chevelu.

Maintenant, en partant du bout des doigts, remuez-les individuellement, serrez un peu les poings et percevez la musculature des avant-bras. Contractez les épaules, les biceps et les autres muscles du bras.

Cette énumération n'est pas limitative : plus grand sera le nombre de muscles dont vous prendrez conscience, plus efficace sera l'exercice.

A présent, l'attention va se détourner de la musculature pour s'emparer d'une fonction habituellement inconsciente : la respiration.

Toutefois, nous ne nous étendrons pas outre mesure sur cet aspect de la prise de conscience, ce sujet étant traité ailleurs (cf. p. 27). En bref, rappelons qu'il s'agit d'abord d'observer le souffle, sans l'influencer, d'être le témoin neutre de la respiration. Observez comment l'acte respiratoire se déroule en vous, sans aucune intervention de la volonté, ne respirez pas : laissez-vous respirer ! Sentez où et comment vous respirez, c'est tout.

Après avoir ainsi observé le souffle pendant quelque temps, ralentissez l'expiration, qui devrait durer le double du temps de l'inspiration. Après de cinq à dix respirations avec expiration freinée, vous pourrez aborder la phase finale de l'exercice : la prise de conscience d'un organe.

Les yogis arrivent à percevoir et à contrôler leurs viscères : cœur, estomac, foie, rate, intestins, etc.

Nos ambitions seront plus modestes, d'autant que de telles acrobaties physiologiques ne sont pas exemptes de danger sans la surveillance d'un guide qualifié. Par contre, il est utile de prendre conscience du cœur, pour des raisons que nous exposerons tout à l'heure. Alors que pour les rétentions de souffle à poumons pleins certaines précautions doivent être prises, celles à poumons vides sont sans danger. Retenez donc votre souffle à vide pendant quelques secondes (l'entraînement vous permettra de tenir assez longtemps) ; pendant ce temps, intériorisez votre attention dans la région de l'épigastre, entre le nombril et le sternum. Vous percevrez bientôt les battements du cœur, parfois dès la première tentative.

On pourrait se demander s'il est opportun de se concentrer sur les battements du cœur. Oui, voici pourquoi : votre santé dépend, avant tout, de votre système nerveux végétatif, qui dirige toute la vie organique, sans réclamer votre intervention consciente : les mouvements du cœur, des poumons, de l'estomac et du tube digestif ainsi que de ses glandes annexes, les mécanismes thermorégulateurs, etc., en bref, il règle toute l'économie interne de l'organisme. Toute cette activité est régie par l'action antagoniste du système nerveux orthosympathique et du pneumogastrique. Comme son nom l'indique le pneumogastrique innerve notamment les poumons, le cœur, l'estomac pour se perdre ensuite dans ce réseau inextricable qu'est le plexus solaire, au creux de l'estomac.

Dès que l'on observe la respiration et surtout lorsque l'on bloque le souffle, le moi conscient impose sa volonté au moi végétatif, prend le dessus sur lui. Donc pendant la rétention du souffle le moi conscient s'empare des leviers de commande du végétatif au niveau du bulbe céphalo-rachidien (nœud vital). En vous concentrant sur les battements du cœur, vous franchissez une nouvelle étape : vous pénétrez par la conscience le long du nerf pneumogastrique jusqu'au cœur. C'est ainsi que les yogis arrivent à prendre conscience des fonctions végétatives, ce qui ne nous intéresse qu'à titre documentaire, car nous avons précisé que notre intention n'est pas de les imiter. Par contre, il est très utile, en observant ainsi les battements du cœur en retenant le souffle, de penser à cette partie de Moi dont on n'est habituellement pas conscient. Songez que c'est elle qui maintient votre température, régit les échanges dans votre corps et en coordonne harmonieusement toutes les fonctions. Remerciez cette partie de vous-même pour le bon travail qu'elle fournit.

Liez-vous d'amitié avec cette partie invisible et inconsciente de votre moi, soyez reconnaissant pour les services qu'elle vous rend. Répétée quotidiennement, cette prise de contact avec cette région de votre moi aura des répercussions profondes le jour où vous lui demanderez un effort : elle acceptera volontiers de donner un « coup de collier ». Entretemps, il importe d'établir ce lien et de faire connaissance tout en évitant de donner des ordres ou des suggestions à votre mental inconscient, sauf indications précises d'un instructeur qualifié.

Ainsi prend fin la prise de conscience. Il est — évidemment — impossible d'exécuter une prise de conscience aussi complète en deux ou trois minutes, temps de transition prévu entre la mise en train et les poses.

Cependant avec de la pratique, on arrive à la condenser en trois minutes, en parcourant rapidement les divers stades. Avant votre séance de yoga, contentez-vous d'une prise de conscience « éclair ». Nous vous suggérons de faire une prise de conscience prolongée au lit, le matin au réveil, ou le soir. Bien que la position puisse être identique à celle adoptée pour la relaxation, il ne faut pas confondre les deux exercices, qui sont presque à l'opposé l'un de l'autre : tandis que dans la relaxation musculaire, on « oublie » le corps, ici, au contraire, il faut s'efforcer d'en devenir le plus conscient possible.

le secret de la souplesse

J'allais écrire « le secret de la jeunesse », car une des différences fondamentales entre un corps jeune et un organisme sénile réside dans la souplesse de l'un, la rigidité de l'autre, autrement dit SOUPLESSE = JEUNESSE.

Les adeptes du yoga conservent une souplesse inégalée jusqu'à un âge très avancé. Dans les ashrams de l'Inde, souvent même les « anciens » sont plus flexibles que les jeunes.

Le secret de la souplesse dans le hatha yoga tient en peu de mots : élongation de muscles décontractés, sous l'effet de tractions lentes et progressives. Cet étirement de muscles préalablement relâchés constitue une caractéristique essentielle des âsanas qui explique aussi pourquoi elles assouplissent mieux et plus vite que la gymnastique, qui vise le développement de la musculature somatique par la contraction répétée des muscles volontaires. Un sport est réputé d'autant plus complet qu'il fortifie un plus grand nombre de muscles. Bien que la tendance actuelle en Occident soit d'introduire des phases de relax rapide au cours des mouvements, malgré tout cela reste fondamentalement différent de ce qui se produit dans une posture yogique. Remémorons quelques notions de la physiologie du muscle volontaire (strié).

Le muscle peut se trouver normalement dans trois états différents :

a) *la contraction*

C'est la phase « utile » du fonctionnement musculaire, pendant laquelle le muscle, en se raccourcissant, agit sur le squelette et fournit le travail mécanique qui permet le mouvement. C'est la base presque exclusive de la gymnastique et des sports — et ceci n'est pas une critique.

b) *le tonus*

Le tonus est l'état normal de tout muscle « éveillé », non actif, mais prêt à se contracter dès qu'un ordre lui parviendra sous forme d'influx nerveux.

c) *le relâchement*

Dans ce cas, le muscle est « détendu ». C'est l'état des muscles pendant le sommeil et dans les exercices de relaxation du yoga. Ces trois états sont normaux, habituels et vous les connaissez bien. (Dans ce chapitre, nous ne considérerons pas ce relâchement comme un exercice de relaxation, mais bien comme faisant partie intégrante de toute âsana).

A ces trois états, il faut en ajouter un autre — exceptionnel dans la vie courante — celui du muscle ETIRE.

C'est une situation particulière et entièrement différente des trois autres, en ce sens que le muscle est incapable de s'étirer tout seul : l'étirement résulte d'une action extérieure. Comme il est systématiquement utilisé dans toutes les âsanas, il est indispensable de bien connaître cette propriété particulière des muscles, afin d'exécuter les poses correctement et de mieux comprendre leur action. L'élasticité du muscle est très différente de celle du caoutchouc, qui se laisse étirer jusqu'à la rupture. Le muscle, par contre, est très extensible dans sa « limite normale d'élasticité ». Quand elle est atteinte, le muscle peut encore s'allonger mais LENTEMENT. Il pourra d'autant mieux être étiré qu'il sera plus passif, plus détendu. Une traction brusque sur des muscles non relaxés peut les traumatiser. Une traction lente, progressive, continue, sur un muscle décontracté est sans risque ; au contraire, elle entraîne une série d'effets favorables, dont le premier est d'en exprimer le sang, surtout le sang veineux. La circulation veineuse dépend non de l'impulsion cardiaque, mais bien des contractions et décontractions alternatives des muscles qui, en comprimant les veines, chassent le sang vers le cœur. Mais, seul l'étirement vide le muscle à fond. Dès qu'il cesse d'être étiré le muscle reprend son volume normal et « aspire » du sang frais qui le rince, le décrasse et le nourrit.

En outre, et cela explique d'ailleurs pourquoi les âsanas confèrent plus vite une plus grande souplesse qu'aucune autre méthode, chaque étirement recule la limite d'élasticité normale des muscles, donc aussi pourquoi le corps s'assouplit toujours davantage.

CONCLUSIONS POUR LA PRATIQUE

Puisque, dans chaque âsana, certains muscles ou groupes de muscles subissent une traction, il faut focaliser l'attention sur eux et les décontracter avec soin AVANT et PENDANT la traction qui doit être LENTE et PROGRESSIVE. La Pince, par exemple, exerce une traction sur les muscles du dos et vous arrivez vite à votre limite. Toutefois, si vous attendez quelques instants en vous relâchant dans cette position,

vous constaterez que vous pouvez gagner quelques centimètres par une traction progressive des bras. Voilà pourquoi
les mouvements répétés et saccadés sont à proscrire en yoga,
parce qu'ils empêchent la relaxation musculaire, condition
indispensable et préalable à tout étirement.

Cette relaxation du muscle, en dehors du sommeil, est un
acte volontaire, donc conscient et c'est pourquoi les âsanas
requièrent une attention concentrée. Plus vous vivrez les
âsanas, plus vous serez attentif et concentré, mieux vous
vous décontracterez et mieux vous pourrez étirer vos
muscles. Vous vous assouplirez vite et sans douleur. Cette
attention concentrée constitue un excellent exercice de
contrôle mental et prépare au Raja Yoga et, pour la favoriser,
de nombreux adeptes pratiquent les yeux clos. De plus, il
faut se décontracter très vite et aussi complètement que possible avant et entre les poses, et c'est pourquoi tant d'âsanas
partent de la position couchée. Avant d'effectuer une posture, vérifiez votre décontraction puis exécutez-la avec le plus
petit nombre de muscles possible et limitez leur contraction
au strict minimum. Continuez de respirer normalement
(sauf indications contraires) pendant que vous prenez la
pose. Dans la pose complète, décontractez en particulier les
muscles sur lesquels l'âsana agit directement. Dosez la traction qui sera lente et continue, puis revenez au tapis.
Respirez profondément et complètement en vous relâchant
à nouveau. Pendant ce temps de repos au sol, le sang afflue
en grande abondance dans les muscles qui ont subi l'étirement. Ce relax constitue une phase essentielle et il ne faut
pas se précipiter d'une pose à l'autre : le yoga exclut toute
hâte ! Ne commencez l'âsana que lorsque le souffle et les
battements du cœur sont redevenus normaux. Cette relaxation peut être raccourcie entre deux poses d'un même type,
exerçant une flexion dans le même sens, par exemple, entre
le Cobra, la Sauterelle et l'Arc il faut se reposer moins longtemps qu'entre l'Arc et la Pince.

Ces notions fondamentales ouvrent des possibilités de perfectionnement illimitées. Rappelons qu'une bonne « mise en train » avant votre séance d'âsanas facilite beaucoup le travail, car des muscles réchauffés s'étirent plus facilement.

où se concentrer
pendant les âsanas

Alors qu'il est possible de tirer profit de la gymnastique occidentale sans tenir compte de l'attitude mentale ou de la concentration, cette dernière, conjuguée à la relaxation, est indissociable de la pratique yogique, âsanas incluses.

Mais, où et comment se concentrer ? Dans ce livre, pour chaque âsana, j'indique toujours où se concentrer, mais il est bon de connaître les règles générales dans ce domaine Les anciens traités mentionnent aussi l'endroit de la concentration, mais ils s'adressent à des adeptes accomplis, car la concentration sur ces points n'est possible — ni même souhaitable — que lorsque la technique des âsanas a été maîtrisée à la perfection. Le débutant doit se concentrer sur d'autres points que le vétéran : cela, on l'oublie ou on l'ignore trop souvent.

A) PENDANT LA PHASE DYNAMIQUE

Le foyer de l'attention diffère selon qu'il s'agit de la phase dynamique ou de la phase statique et varie aussi suivant le degré d'évolution de l'adepte.

1° CONCENTRATION SUR LA TECHNIQUE CORRECTE

Le néophyte dirigera d'abord son attention sur l'acquisition de la technique correcte de l'asana dans tous les détails jusqu'au moment où il l'aura parfaitement assimilée et pourra accomplir le mouvement sans devoir prêter attention à la technique, tout comme en conduisant votre auto vous faites tous les gestes sans devoir les penser.

2° CONCENTRATION SUR LA RELAXATION

Il suffit de quelques jours, quelques semaines au plus, pour franchir cette première étape, après quoi la concentration se portera sur l'exécution économique de l'âsana, donc en utilisant le nombre le plus restreint possible de muscles et en les contractant au minimum, tout en veillant à garder les autres groupes musculaires relaxés.

Cette seconde étape, souvent plus longue que la première, est indispensable et ne peut être sautée. Ne pas omettre de relaxer le visage, particulièrement la bouche, y compris la langue. Dans cette phase, l'image mentale aidera beaucoup l'apprenti yogi. S'il imagine, en exécutant la Charrue par exemple, que ses pieds sont très légers et, après s'être relaxé, s'il tente de les soulever, en ne contractant que l'abdomen, il s'étonnera de la facilité avec laquelle ses jambes monteront.

3° CONCENTRATION SUR LA RESPIRATION

Quand l'adepte est capable d'exécuter le mouvement d'une façon réflexe et relaxée, il focalise son attention sur le souffle afin de respirer de façon normale et continue (sauf indications particulières) pendant tout le mouvement. Seuls les adeptes très avancés peuvent déroger à cette règle, suivant les instructions de leur gourou. Il faut continuer à respirer normalement parce que si l'on stoppe la respiration, on bloque le diaphragme et on se congestionne. Quand un néophyte lève les jambes à plat dos, il a tendance à retenir son souffle, ce qui se remarque aussitôt à son visage qui devient cramoisi.

4° CONCENTRATION SUR L'ALLURE CONSTANTE ET UNIFORME

Ceci est le stade final. Pour exécuter l'âsana à la façon vraiment yogique, lorsque l'adepte soulève les jambes (toujours dans l'exemple de la Charrue), les pieds parcourent leur trajectoire à une vitesse ou plutôt à une lenteur constante jusqu'à ce que les orteils touchent (éventuellement !) le sol ; idem au retour. Le yogi ne tolère ni saccade, ni accélération, ni ralentissement. Cette progression continue et uniforme distingue le yogi du débutant. L'exécution des âsanas devient un plaisir et donne à l'éventuel spectateur une impression de puissance tranquille, pareille à celle d'un fleuve de plaine qui coule avec une inexorable lenteur vers la mer. En pratiquant ainsi les âsanas, la concentration devient automatique car, comme ce sont des groupes de muscles différents qui se relaient successivement, maintenir le mouvement à une lenteur rigoureusement uniforme accapare toute l'attention.

B) PENDANT LA PHASE STATIQUE

1° CONCENTRATION SUR L'IMMOBILITE RELAXEE

Le débutant se concentrera sur le maintien de l'immobilité absolue qui, alliée à l'aisance, est l'élément capital de la phase statique (sauf instructions particulières à cette âsana). La respiration se poursuit normalement, voire s'amplifie pendant la phase statique.

L'adepte veille toujours à la décontraction musculaire. Toujours à propos de la Charrue, il relaxera, outre le visage et les bras (mains !), les pieds, les mollets, les cuisses, surtout les muscles étirés, c'est-à-dire ceux du dos. Ceci en exprime le sang, comme une éponge qu'on étirerait et, après la pose, ils aspirent avidement du sang frais. Cet étirement est le secret de la souplesse dans le hatha-yoga et rend aux muscles leur longueur normale : tant d'Occidentaux sont incapables de s'asseoir par terre, les jambes allongées touchant le sol ! Des muscles de longueur normale permettent d'adopter, en toutes circonstances, une attitude confortable. Si les muscles de la colonne vertébrale sont raccourcis par l'inaction (c'est le cas de 99 % des civilisés) la colonne est rigide et tout mouvement un peu brusque, peut parfois entraîner un déplacement accidentel de vertèbres, nécessitant l'intervention d'un vertébrothérapeute, chiropracteur ou ostéopathe.

Si les muscles sont souples et de longueur normale, tous les mouvements sont permis car les vertèbres s'articulent librement et restent bien en place. Par contre, si la colonne est rigide, la moindre chute, l'accident de voiture le plus bénin, peuvent avoir des conséquences tragiques, tandis que, maintenue par une musculature souple et forte, elle résiste à des chocs qui casseraient net une échine « ordinaire ».

Nous connaissons au moins une adepte du yoga qui doit sans doute la vie à cette souplesse. Sa petite voiture, tamponnée par une puissante voiture et sa portière s'étant ouverte sous le choc, elle fut projetée sur le trottoir à 10 mètres comme un pantin désarticulé. Au grand étonnement des médecins, elle s'en tira avec une légère commotion cérébrale et les ligaments des cervicales un peu endommagés ! Merci yoga ! Mais elle aurait mieux fait de boucler sa ceinture.

2° CONCENTRATION SUR LE POINT STRATEGIQUE DE L'ASANA

Quand l'adepte peut rester immobile et relaxé, respirant normalement, il peut se concentrer sur la zone stratégique d'action de l'âsana.

C'EST CE POINT QUI EST MENTIONNE DANS LES ANCIENS TRAITES ; nous voyons quelle préparation est nécessaire avant d'y parvenir ! Chaque âsana, et c'est une des distinctions essentielles entre le yoga et toutes les autres méthodes d'éducation physique, produit des effets bien déterminés sur une partie du corps, par exemple la région de la thyroïde pendant la posture de Sarvangâsana, la région du plexus solaire pendant l'Arc, etc. C'est là que l'adepte concentrera son attention.

Dès cet instant, l'âsana répond à la définition d'Alain Daniélou, la meilleure que nous ayons trouvée : est une âsana toute position qu'on peut garder immobile, longtemps et sans effort.

Ces règles vous permettent de déterminer, quel que soit votre degré d'avancement dans le yoga, où et comment vous concentrer. Notons qu'un même adepte peut se comporter différemment pour les diverses asanas, c'est-à-dire en néophyte pour une nouvelle âsana qu'il apprend, alors qu'il en est au stade le plus avancé pour d'autres âsanas qu'il connaît à fond.

dans quel ordre pratiquer les poses ?

En yoga, rien n'est laissé au hasard et la succession des âsanas suit des règles précises, fruit d'une expérience millénaire. Dans une série, chaque posture s'intègre à sa place, complète ou accentue la précédente, prépare la suivante, ou constitue une contre-pose équilibrante.

Parmi les séries-types d'âsanas logiques et valables, il faut en choisir une et s'y tenir car, à la longue, l'organisme s'y habitue, se conditionne au sens pavlovien du terme, s'y prépare et réagit d'autant mieux.

Nous avons adopté la série enseignée à Rishikesh, à l'ashram de swami Sivananda. Elle ne prend qu'une demi-heure environ, ce qui est à notre portée, tandis que celle de swami Dhirendra Bramachari de Delhi, beaucoup plus complète, dure environ trois heures, mise en train comprise, est impraticable en Occident.

Voici donc cette série « Rishikesh ».

109

SEANCE D'ASANAS

CHANDELLE SARVANGASANA		1 MIN.
CHARRUE HALASANA		2 MIN. PHASE DYNAMIQUE INCLUSE
POISSON MATSYASANA		1 MIN.
PINCE PASHCHIMOTANASANA		2 MIN. PHASE DYNAMIQUE INCLUSE
COBRA BHUJANGASANA		1 MIN. PHASE DYNAMIQUE INCLUSE
SAUTERELLE SHALABHASANA		1 MIN. COMPRENANT LA 1/2 SAUTERELLE
ARC DHANURASANA		1/2 MIN.
TORSION ARDHA - MATSYENDRASANA		1 MIN.
POSE SUR LA TETE SHIRSASANA		1 A 10 MIN. OU PLUS
UDDIYANA ET/OU NAULI		1 MIN. OU 2 MIN.
RESPIRATIONS		3 MIN.
SHAVASANA RELAXATION		3 MIN.

110

En Inde, le néophyte admet sans discussion les instructions du Maître dont l'autorité est telle, et la personnalité transcendante au point qu'aucun disciple ne songe à interroger son gourou à leur propos, pas plus qu'un collégien ne discute une équation d'Einstein. Quant au Maître, il considère que ces longues explications sont superflues et laisse l'adepte découvrir par lui-même le bien-fondé des instructions. Mais, en Occident, notre esprit rationaliste désire savoir le pourquoi et le comment des exercices yogiques. Ce désir est légitime et, s'il n'existait pas spontanément, il faudrait le provoquer, car pour tous ceux qui doivent travailler seuls, la connaissance des règles prévient les erreurs.

Nous allons donc analyser la « série Rishikesh » et nous aurons ainsi l'occasion d'apprécier la géniale intuition des Rishis d'antan.

SARVANGASANA
La « Chandelle » sur les épaules

Pose inversée

La première âsana de la série est une pose inversée, choisie pour son influence importante et immédiate sur la circulation sanguine, et ce, pratiquement sans effort musculaire. La pesanteur met le sang veineux stagnant en circulation accélérée ; il retourne au cœur aidé par la gravitation, au lieu d'avoir à lutter contre elle. Sarvangâsana élimine les stases veineuses dans les jambes et dans les organes abdominaux.

111

Toutes les poses inversées provoquent d'ailleurs un puissant brassage circulatoire avec un effort musculaire voisin de zéro. C'est pourquoi certains maîtres recommandent Shirsâsana, la pose sur la tête, mais nous adopterons Sarvangâsana (la Chandelle) qui est à la portée de tous, comprime la thyroïde, étire la nuque et dégage les filets nerveux de la région cervicale, carrefour stratégique dans l'organisme.

HALASANA
la Charrue

Flexion vers l'avant

En comprimant le cou et en étirant les cervicales, elle favorise l'irrigation de la thyroïde et accentue les effets de la pose précédente. La flexion vers l'avant étire la colonne vertébrale, tandis que le ventre est comprimé et massé. La cage thoracique étant comprimée et le thorax bloqué, les mouvements respiratoires se font par l'abdomen ainsi que dans les flancs et le dos.

MATSYASANA
le Poisson

Contre-pose

Matsyâsana constitue la contre-pose des deux exercices précédents. C'est-à-dire que : le cou, qui vient d'être longuement comprimé, est dégagé. Inversement, les cervicales sont tassées au lieu d'être étirées. Le thorax s'ouvre largement ce qui favorise la respiration thoracique. Le ventre est étiré, le dos creusé, à l'inverse de la Charrue. La respiration est surtout thoracique et claviculaire.

PASCHIMOTANASANA
La Pince (assis)

Flexion vers l'avant

Paschimotanâsana courbe la colonne vertébrale vers l'avant, sans comprimer ni allonger la nuque ou le cou. L'étirement s'étend surtout à la partie postérieure du dos, par conséquent cette âsana complète la Charrue.

Il y a compression du ventre qui était étiré dans la pose précédente.

BHUJANGASANA
Le Cobra

Première d'une série de trois flexions vers l'arrière

Durant la phase dynamique, le ventre est comprimé ; pendant la phase statique, il est étiré.

La colonne vertébrale est pliée vers l'arrière, à l'inverse de la Charrue et de la Pince. Les muscles dorsaux qui ont été étirés dans les deux poses précédentes et se sont vidés de leur sang, tels des éponges qu'on exprime, vont maintenant se contracter dans la pose du Cobra, d'où un important appel de sang frais dans le dos, visible de l'extérieur.

SHALABHASANA
la Sauterelle

Shalabâsana succède au Cobra, dont elle constitue le complément. La phase dynamique du Cobra intéresse le haut du dos, depuis les cervicales jusqu'à la ceinture, tandis que dans la Sauterelle, c'est la musculature lombaire qui se contracte avec force pour lever les jambes.

DHANURASANA
l'Arc

Flexion vers l'arrière

En soulevant à la fois le buste et le bas du dos, l'Arc combine le Cobra et la Sauterelle, âsanas complémentaires qui ont préparé la musculature dorsale et la colonne vertébrale à subir la courbure accentuée exigée par l'Arc, qui se place donc très logiquement APRES ces postures.

ARDHA-MATSYENDRASANA
la Torsion

La succession des flexions vers l'avant et l'arrière, provoque dans les muscles une sensation particulière, frisant la courbature ; Ardha-Matsyendrâsana, en tordant la colonne dans les deux sens, efface aussitôt cette sensation. Voilà pourquoi cette position se place après toutes les flexions.

SHIRSASANA
la pose sur la tête

Shirsâsana, la reine des âsanas, clôture la série. Certains maîtres la placent au début, toutefois, comme notre série commence par Sarvangâsana, elle est comprise entre deux positions inversées, ce qui est très favorable.

APRES LES ASANAS

Les mudrâs et bandhas (gestes et contractions) s'exécutent après les âsanas. Nous pratiquerons donc Uddiyana Bandha (la rétraction abdominale) suivi de quelques respirations complètes et/ou de l'un ou l'autre exercice respiratoire plus complexe.

Une relaxation, même brève, clôture la séance et constitue une excellente transition entre le yoga et la vie courante.

COMMENT COMPLETER OU MODIFIER CETTE SERIE

Dans la série Rishikesh, les poses se complètent et leurs effets se renforcent mutuellement, alors que pratiquées au hasard de l'inspiration du moment, sans ordre logique, les exercices peuvent parfois annuler réciproquement leurs effets. L'analyse ci-dessus a montré à quel point cette série est bien structurée. Toutefois, si vous désirez y intégrer d'autres postures, ou effectuer des substitutions, un principe très simple vous permet de le faire sans erreur ! Le voici : toute flexion vers l'avant peut être remplacée par une autre du même type. La variante d'une âsana se place, au choix, juste avant ou après la pose principale, à moins qu'elle ne la remplace purement et simplement. Ainsi, la structure même de la séance reste inchangée et correcte.

Je vous signale que j'ai publié *Ma séance de yoga*, livre qui contient, entre autres, diverses séances-type pour débutants, des séances de perfectionnement vers l'avant et vers l'arrière, une séance anti-lombalgies, indépendamment de la description illustrée de postures pour adeptes de tous les niveaux. Cela vous libère du souci de vous composer une séance pour vous-même.

âsanas

Bien que les âsanas, ou postures yogiques, ne soient qu'UN aspect du yoga, pour l'Occidental sédentaire elles représentent une partie capitale de sa pratique et lui procurent des effets bénéfiques rapides et tangibles, tout en le préparant aux autres formes de yoga.

Tandis que la gymnastique et les sports, axés sur l'action dans le monde extérieur, développent surtout la musculature du squelette, les âsanas agissent en profondeur dans notre univers intérieur, d'une part, sur le plan physique (viscères, glandes endocrines, cerveau, système nerveux volontaire autant que végétatif), d'autre part, sur le plan mental, où elles apportent le calme et une sérénité qui n'exclut pas le dynamisme et la joie. Elles procurent une souplesse inégalée (cf. « Le Secret de la Souplesse », p. 95), une endurance étonnante, sans causer ni fatigue, ni énervement. Elles constituent, en outre, un exercice de concentration de premier ordre (cf. « Où se concentrer pendant les âsanas », p. 99).

Mais, avant d'aborder l'étude détaillée des postures les plus classiques et les plus efficaces, accessibles à tous, il faut préciser les conditions préalables à leur pratique, que voici :

CONDITIONS EXTERIEURES

Moment

Le moment le plus propice pour la séance d'âsanas se situe le matin, après la toilette : elle vous met en forme pour toute la journée ! Si votre horaire empêche une pratique matinale, vous pouvez travailler le soir, soit avant le repas, soit avant de vous mettre au lit ou, mieux encore, refaire une seconde séance ! Le soir, il est normal de réussir les âsanas plus facilement que le matin. C'est normal car, au lever, la longue immobilité de la nuit nous rend moins souples, sans cependant réduire l'efficacité des âsanas !

Endroit

Si possible, pratiquez en plein air. L'idéal serait d'exécuter ses âsanas sur une plage, au bord d'un lac ou d'un fleuve, face au soleil levant. A défaut, le jardin ou la terrasse conviennent, sinon faites vos âsanas dans une pièce bien aérée et chauffée. Evitez de travailler dans une pièce où l'air est vicié.

Tenue

Soyez aussi peu vêtu que la décence et la température le permettent. En été, associez le yoga au bain d'air et de lumière. En hiver, s'il fait froid dans la pièce où vous pratiquez, n'hésitez pas à vous couvrir (survêtement de sport). Evitez de porter des vêtements serrants qui entravent la circulation sanguine.

Matériel

Un tapis ou une couverture pliée (pas trop épaisse) suffisent.

CONDITIONS PHYSIQUES

Il faut pratiquer à jeun : c'est une raison de plus pour choisir le matin ! Sinon, attendre de 4 à 5 heures après un repas copieux, 2 heures après un repas léger. Ceci s'applique aux âsanas, lesquelles risquent de perturber la digestion, mais non aux exercices de relaxation, ni à la respiration yogique complète. Videz la vessie et, si possible, l'intestin avant la séance.

Sauf raison majeure, pratiquez chaque jour, au même endroit, à la même heure. Vous « conditionnerez » ainsi votre organisme qui réagira de mieux en mieux aux âsanas. Souvenez-vous des expériences de Pavlov, qui nourrissait son chien à heure fixe et faisait retentir une sonnerie pendant qu'il mangeait. Après un certain temps « sonnerie » et « repas » étaient si bien associés dans le mental de l'animal que, même en l'absence de nourriture, la sonnerie déclenchait le réflexe salivaire et les sécrétions gastriques qui devenaient ainsi des « réflexes conditionnés ». C'est ce processus que vous créez consciemment chez vous. En cas de grande fatigue, ne pas commencer d'emblée par les âsanas. Consacrez les premières minutes à la respiration yogique et à la relaxation, puis passez aux âsanas. Les femmes s'abstiendront pendant les deux premiers jours des règles et cesseront les âsanas dès le cinquième mois de la grossesse. Toutefois, certaines femmes pratiquent les postures jusqu'aux derniers jours avant l'accouchement, en les adaptant à leur état.

PAS DE BAIN TRES CHAUD OU TRES FROID aussitôt après les âsanas pour ne pas attirer le sang vers la périphérie, car pendant les 30 minutes qui suivent la séance d'âsanas, l'organisme continue à diriger un afflux de sang accru vers les organes profonds alors qu'un bain très chaud ou froid neutraliserait cette action. Attendez aussi une demi-heure au moins avant de vous adonner à un sport violent. Une douche tiède (à la température du corps), par contre, peut succéder aussitôt au yoga, car sa température n'influence guère la circulation sanguine. Il n'y a pas d'inconvénient à se mettre à table aussitôt après le yoga.

CONDITIONS GENERALES

Le chapitre 2 définit l'esprit du yoga. Avant la séance, l'adepte se recueille un instant pour créer l'état d'esprit où le corps est considéré comme sacré, même dans ses fonctions les plus humbles.

Les âsanas doivent se pratiquer avec précision, en respectant les règles issues d'une expérience millénaire, transmises sans discontinuité à travers les générations de yogis. Le hatha-yogi ignore toute hâte et l'adepte occidental bannira toute précipitation. Ne soyons donc pas pressés d'atteindre la perfection ! Le yogi ignore toute compétition, même avec soi-même.

La pratique régulière et quotidienne est le gage du succès. Une petite dose, mais chaque jour.

Vous êtes sur la bonne voie si...

...après les âsanas vous vous sentez plein de vigueur et de vitalité. Le yoga doit vous procurer de la joie et même du plaisir.

Vous faites fausse route si...

...vous vous sentez « vidé », ou si vous avez vraiment mal après votre séance. Au début cependant, il peut se produire de légères courbatures dues à la mise au travail de muscles restés presque inactifs depuis des années. Continuez à pratiquer : peu de jours après, les courbatures disparaîtront définitivement.

RESUME EN DIX POINTS

1° Les postures ne sont pas des exercices de force. Elles agissent par elles-mêmes, non par la violence.

2° La lenteur des mouvements est essentielle à l'efficacité du yoga.

3° Maintenir chaque posture pendant le temps prescrit.

4° Ne contracter que les muscles indispensables au maintien de l'âsana et relaxer tous les autres.

5° S'intérioriser dans les parties du corps visées par l'âsana.

6° Le retour à la position de départ doit aussi se faire très lentement.

7° Entre deux postures, se détendre quelques secondes en relaxant le plus grand nombre possible de muscles, y compris ceux du visage.

8° Si vous manquez de temps, réduire le nombre des âsanas mais ne jamais les accélérer.

9° Effectuer toujours les âsanas dans le même ordre.

10° Terminer toujours sa séance par Shavâsana. (Minimum : une minute).

PLAN D'APPRENTISSAGE PROGRESSIF SUGGERE

	1er stade	2e stade	3e stade	4e stade	5e stade	6e stade	7e stade	8e stade
Respiration	■	■	■	■	■	■	■	■
Prise de conscience	■	■	■	■	■	■	■	■
Salutation au Soleil			1/2/3	10/11 12	1/2/3 10/11/12	1/2/3 4/5/6	1/2/3 4/5/6 7/8/9	COMPL.
Sarvangâsana (Chandelle)	■	■	■	■	■	■	■	■
Halâsana (Charrue)		■	■	■	■	■	■	■
Paschimotanâsana (Pince)		■	■	■	■	■	■	■
Matsyâsana (Poisson)	■	■	■	■	■	■	■	■
Bhujangâsana (Cobra)	■	■	■	■	■	■	■	■
Shalabâsana (Sauterelle)		■	■	■	■	■	■	■
Chameau			■	■	■	■	■	■
Dhanurâsana (Arc)					■	■	■	■
Ardha-Matsyendrâsana	SIMPLE	SIMPLE	SIMPLE	SIMPLE	COMPLET	COMPLET		
Kapalâsana							■	■
Shirsâsana						■	■	■
Uddiyana Bandha				■	■	■	■	■
Relaxation	■	■	■	■	■	■	■	■
Durée totale	15'	20'	20'	25'	25'	30'	35'	40'

Il est impossible de fixer un plan d'apprentissage rigide et valable pour tous, sans distinction. En yoga, tout est individuel et personnel. Cependant, l'expérience pratique en Occident a permis de déterminer un ordre de difficulté croissante pour les postures. Cela conduit à établir plusieurs degrés dans cet entraînement. En principe, il faut bien connaître toutes les poses d'un niveau, avant de passer au suivant. Cet entraînement peut prendre de 2 mois à 2 ans, selon les cas !... Je n'ai pas indiqué de durée pour chaque exercice, laissant à chacun le soin de la doser selon ses possibilités, en tenant compte des règles énoncées dans la partie technique de chaque exercice.

IMPORTANT !

Les âsanas décrites dans les pages suivantes sont placées dans l'ordre normal de votre séance

Cependant, il se peut que l'une ou l'autre âsana ne vous soit pas accessible d'emblée. Ne vous y attardez pas ! Pratiquez d'abord les plus faciles, dans l'ordre indiqué ! Au fur et à mesure que vous vous assouplirez, attaquez-vous aux postures rétives, sans jamais « forcer ».

En yoga, la lenteur est le secret des progrès rapides !

D'ici peu vous réaliserez facilement des âsanas qui paraissaient hors de votre portée au début ! L'unique condition est de respecter la technique correcte.

Imprégnez-vous aussi de l'idée que l'efficacité d'une âsana ne dépend pas seulement de la technique mais aussi de la concentration mentale qui l'accompagne.

sarvangâsana

« *Sarva* » signifie en sanscrit « tout, tous » et *anga* « membres, parties », donc traduire Sarvangâsana ne devrait présenter aucune difficulté, et pourtant ! Certains auteurs traduisent par « pose pour toutes les parties du corps » ce qui semblerait se justifier puisqu'elle agit sur le corps tout entier en stimulant la glande thyroïde, mais bien d'autres âsanas mériteraient ce nom, la pose sur la tête notamment. Pourquoi les yogis auraient-ils favorisé Sarvangâsana ? Nous admettrons, avec Alain Daniélou, que Sarvangâsana est l'ellipse de *sarva anga - uttâna - âsana* » (*sarva* = tout ; *anga* = membres ; *uttâna* = debout, levés, en l'air, donc « posture de tous les membres levés ») (voir photo), ce qui la différencie de toutes les autres postures. Si « pan-physical posture » se défend en anglais, posture « pan-physique » sonne mal ; « Pose du corps entier » est lourd et trop long ; « Posture complète » imprécis, « Chandelle » prête à confusion. N'est-il pas plus simple de garder le nom sanscrit ?
 C'est ce que nous ferons.

CONSIDERATIONS GENERALES

Cette âsana doit l'essentiel de ses effets à la position inversée du corps, à l'étirement de la nuque et à la stimulation de la glande thyroïde par la compression du menton contre le sternum. Quand nous étudierons Shirsâsana, la pose sur la tête, nous détaillerons les effets bénéfiques de l'inversion du corps, mais nous profiterons de la description de Sarvangâsana pour en évoquer brièvement l'aspect ésotérique. Les Orientaux (yogis inclus), admettent l'existence de courants positifs et négatifs (« Yin » et « Yang » des Chinois) et affirment qu'un flux d'énergie cosmique relie le ciel à la terre ; donc dans la station debout, l'homme est traversé verticalement de haut en bas. Dans les positions inversées, ce courant agit en sens inverse, ce qui aurait un effet équilibrant chez l'être humain, le seul à se tenir verticalement, le seul aussi que ces radiations cosmiques traversent sur toute sa longueur. Cela explique aussi l'importance accordée par les yogis au maintien de la colonne vertébrale bien droite et verticale pendant le prânayama et la méditation.

Que faut-il penser de ces « courants » ? Qu'en dit la science occidentale ? Tout physicien, tout météorologiste sait que la surface terrestre est chargée négativement, mais que la haute atmosphère est positive. La basse atmosphère où nous vivons est donc comprise dans un champ électrostatique dirigé approximativement de haut en bas, dont le gradient potentiel peut atteindre 100 à 150 volts et plus, par mètre.

D'autre part, en considérant que les phénomènes vitaux, notamment ceux relatifs à l'activité nerveuse et cérébrale, sont de nature électrique et que, dans les cellules, les électrolytes sont les véritables ouvriers de la vie, on peut admettre que ce courant exerce une influence importante sur tous les phénomènes vitaux.

Jusqu'à présent, à l'exception du professeur Fred Vlès, de la Faculté de Médecine de Strasbourg, directeur de l'Institut

126

de Physique Biologique (¹) et du savant russe Tchijewski, en Occident cette relation entre l'électricité et la vie n'a guère suscité la curiosité ni la recherche.

Cependant le docteur J. Belot a écrit : « Quand, à la lumière de la biophysique, on considère la vie, on constate que les phénomènes électriques sont à la base de toute vie cellulaire et on arrive à cette conception que le terme de tout est une charge électrique ».

Cela justifie amplement l'interprétation ésotérique des effets des postures inversées. Les grands Rishis de l'Inde ancienne ont perçu ces phénomènes subtils et leurs théories millénaires sont confirmées par les découvertes de la science moderne.

Notons encore l'explication de Yesudian : « Cette âsana fait grand bien à tout l'organisme à tel point que chacun devrait la pratiquer plusieurs fois par jour. Ses effets extraordinairement bénéfiques proviennent en partie de ce que, dans cette pose, nous recevons des courants opposés. Il est bien connu que la terre émet des courants négatifs, alors que l'espace universel nous envoie des courants positifs. Dans la position normale, debout, nous recevons donc des courants négatifs par les pieds et des courants positifs par la tête. Dans les trois âsanas suivantes (Sarvangâsana, Shirsâsana, Vîparîta Karanî Mudrâ) c'est le contraire. Le fait que le corps y est renversé explique leur grande valeur thérapeutique. »

Disons enfin que Sarvangâsana apporte presque tous les effets de la position sur la tête, tout en étant beaucoup plus accessible.

(¹) Cf. « *Les conditions biologiques créées par les propriétés électriques de la basse atmosphère* », Paris, Hermann et C°.

TECHNIQUE

En fait l'âsana est fort simple. Dans l'attitude finale, le corps repose sur les épaules et la nuque, ce qui justifie l'appellation anglaise « shoulder-stand », « posture sur les épaules ».

POSITION DE DÉPART

Elle est identique à celle de la Charrue (Halâsana, cf. p. 151), donc à plat dos.

EXECUTION

Premier temps

Amener les jambes à la verticale. Joindre les pieds sans tendre les muscles, *en plaquant les reins contre sol*, pour éviter tout porte-à-faux de la colonne lombaire néfaste à la cinquième vertèbre lombaire et à son disque. Quand le dos est bien à plat au sol, il n'existe aucun danger. Les personnes fort cambrées *plieront les genoux* avant de lever les jambes. En contractant l'abdomen, lever très lentement les pieds en gardant les mollets et les muscles des cuisses détendus et sans pointer les orteils, ce qui contracterait les mollets.

Le mouvement d'ascension sera lent, son allure constante. Visage relaxé, bras détendus. Respirer avec calme et sans s'arrêter.

Arrêts intermédiaires

Comme indiqué pour la Charrue, il est conseillé d'intercaler un temps d'arrêt de une à cinq respirations quand les jambes sont à un angle d'environ 30° à 60°.

Ascension des jambes à la verticale — Prise de l'âsana

A l'inverse de la Charrue, où le mouvement se poursuit en attirant les cuisses vers l'abdomen puis vers la poitrine et en rapprochant les pieds du sol, dans Sarvangâsana on lève les pieds le plus haut possible en contractant les abdominaux, et en prenant appui sur le sol avec les mains et les avant-bras. Les jambes, suivies du tronc, montent toujours plus haut pour amener le corps à la verticale, qui repose alors sur les épaules et la nuque. Pendant la montée, les pieds et les genoux restent joints. Dans l'attitude finale, les mains repoussent et soutiennent les reins, les coudes touchent le tapis, les avant-bras s'arc-boutent pour maintenir le corps vertical. Le sternum vient se placer contre le menton, la nuque est aplatie au tapis. Toutefois, il faut que la nuque accepte cet étirement, sinon, on monte jusqu'au point où elle se sent modérément étirée.

PHASE DYNAMIQUE

La phase dynamique débute quand le corps est vertical. Elle consiste à abaisser alternativement et lentement chaque jambe vers le tapis, réalisant ainsi une demi-Charrue. La jambe descend de son propre poids, sans raideur, les muscles aussi relâchés que possible. Si les orteils touchent ainsi le sol, c'est parfait, sinon, ayez patience, ils finiront bien par toucher le tapis derrière la tête, sans effort !

Ramener ensuite cette jambe à côté de celle restée dressée et immobile. Procéder de même avec l'autre et répéter une seconde fois. Puis laisser les pieds joints descendre vers le sol et les orteils toucher le tapis : pendant un court instant vous prenez ainsi la posture de la Charrue ; sans s'y immobiliser ramener, avec lenteur, les jambes à la verticale.

Ceci clôt la phase dynamique et prépare à la Charrue qui succède à Sarvangâsana.

Erreur à éviter

Evitez d'effectuer un mouvement de ciseaux avec les jambes !

PHASE STATIQUE

L'immobilisation du corps à la verticale avec tout le poids sur la nuque, l'occiput et les épaules, constitue la phase statique de l'âsana. Pendant ce temps, relâcher un maximum de muscles, des orteils à la tête. Respirer normalement.

RETOUR AU SOL

S'effectue en sens inverse de la prise de la position, avec ou sans arrêt à 60° et 30°. Pour revenir au sol, dégager les mains en abaissant un peu les jambes.

Descendre avec lenteur en contrôlant chaque phase du mouvement ; laisser la tête au sol jusqu'au bout. La colonne vertébrale doit se dérouler progressivement contre le tapis, de la nuque au sacrum.

RESPIRATION

Pendant tout l'exercice, il faut continuer à RESPIRER NORMALEMENT. Pendant la phase statique, cette respiration sera presque automatiquement diaphragmatique.

CONCENTRATION

Pendant la prise de position et la phase dynamique

Pendant la prise de l'âsana, se concentrer sur le maintien

d'une allure uniforme à travers toutes les phases et sur la relaxation musculaire. Surveiller la respiration, qui doit rester normale et continue.

Pendant la phase statique

Pendant la phase statique, se concentrer sur l'immobilité, la relaxation, la respiration, et lorsque ces trois conditions sont réunies, sur la gorge, où se situe la glande thyroïde.

TRES IMPORTANT

La pose doit une partie importante de ses effets bénéfiques à la position inversée qui fait affluer le sang à la tête, et à la compression de la gorge : il faut donc veiller à bien appliquer le menton contre le sternum.

ERREURS

- Partir avec les reins cambrés et non soutenus, ce qui crée une énorme pression en porte-à-faux. S'il faut, fléchir les jambes ;
- travailler par saccades ;
  s'élancer pour arriver à la position verticale ; s'il est impossible d'y parvenir sans élan, s'aider d'un mur, placer les mains sous le postérieur, ou passer par le demi-Sarvangâsana (cf. « Pour les débutants ») ;
- ne pas appliquer le menton contre la poitrine, donc ne pas aplatir la nuque au tapis dans la position finale (cela prive l'exercice d'une bonne partie de ses effets) ;
- effectuer un mouvement de ciseaux avec les jambes : pendant le mouvement alternatif des jambes, l'une demeure verticale ;

- revenir lourdement au sol et sans contrôler le mouvement ;
- écarter les jambes ; les pieds et les genoux doivent rester joints pendant la prise de position, ils ne peuvent se séparer que pendant la phase dynamique et les jambes doivent se déplacer dans le même plan qu'à la montée ;
- respirer par la bouche, ou bloquer le souffle à un moment quelconque de l'exercice ;
- pousser le menton vers le sternum, au lieu d'appliquer le sternum contre le menton ;
- se relever brusquement après la position : voir « contre-pose ».

POUR LES DEBUTANTS

Au début, les personnes trop fortes qui ont du mal à exécuter Sarvangâsana, peuvent d'abord pratiquer l'Ardha-Sarvangâsana. Pour cela, amener les jambes à la perpendiculaire comme précédemment, donc en veillant à avoir les lombes plaquées au tapis en pliant les genoux, puis essayer de soulever le tronc à la verticale à l'aide des mains placées sous le postérieur en pliant les genoux pour prendre la position du dessin ci-dessous. Enfin, redresser peu à peu les jambes pour parvenir à l'âsana normale. (Voir photo en p. 149)

Ne jamais forcer, essayer tous les jours.

POSE SUIVANTE ET CONTRE-POSE

Quand Sarvangâsana s'intègre dans une succession d'âsanas, elle précède Halâsana (la Charrue) qui en complète les effets.

Pratiquée seule, elle doit être suivie de sa contre-pose, Matsyâsana (le Poisson), qui dégage le cou et comprime la nuque au lieu de l'étirer. Dix respirations en Matsyâsana suffisent à contrebalancer Sarvangâsana, même si celle-ci a duré plusieurs minutes.

FREQUENCE ET DUREE

L'Occidental qui lit la littérature yogique, peut être dérouté par les divergences entre les auteurs, tant au sujet de la fréquence, qui varie de une à plusieurs exécutions quotidiennes, que de la durée recommandée qui oscille de quelques secondes à vingt minutes !

Où est la vérité ? Qui se trompe ? D'un certain point de vue, tous ont raison ! Il suffit de s'entendre, car il y a plusieurs façons de pratiquer le Sarvangâsana et le yoga en général.

Le yogi hindou « full-time » se comporte tout autrement que l'adepte occidental : il pratique plusieurs fois par jour et tiendra la pose jusqu'à 20 minutes. Mais l'Occidental disposant d'une demi-heure au total à consacrer au yoga chaque jour, ne pourra lui réserver que deux ou trois minutes, ce qui est la bonne mesure moyenne.

Au début, on peut se limiter à quelques secondes et augmenter peu à peu. Le bon sens sera votre meilleur guide. Il est bon de la pratiquer deux fois par jour : une première fois le matin, pendant la séance quotidienne, puis dans le courant de la journée ou juste avant de se mettre au lit. Cela aide souvent à s'endormir plus vite et plus profondément : faites un essai.

Que la durée ne soit pas une obsession ! Votre propre corps doit vous dicter le temps de maintien : nous sommes esclaves du chronomètre toute la journée, préservons-en notre séance de yoga. Comptez plutôt vos respirations, ainsi vous n'oublierez pas de respirer, cas plus fréquent qu'on ne le croit !

CONTRE-INDICATIONS

A première vue, elles devraient correspondre à celles de la pose sur la tête dont Sarvangâsana peut constituer le substitut. En fait, de nombreuses personnes, quoique incapables de se mettre sur la tête, (cou frêle ou vertèbres cervicales fragiles), la pratiquent sans inconvénient.

Sarvangâsana présente peu de contre-indications, hormis les affections aiguës de la tête et du cou : otite, abcès dentaires, angines, affections de la thyroïde, sinusite, sclérose des vaisseaux cérébraux, etc.

EFFETS BENEFIQUES

GENERALITES

Une bonne partie des avantages de Sarvangâsana correspondent à ceux de Shirsâsana (cf. p. 253).

Citons :
- meilleure circulation veineuse (jambes, abdomen) ;
- décongestion des organes du bas-ventre; soulagement des hémorroïdes ;
- soulagement des ptoses (rénales, stomacales, intestinales, utérines) ;
- amélioration de l'irrigation cérébrale.

Ses effets particuliers découlent de son action plus marquée sur la glande thyroïde, le thymus et la respiration.

COLONNE VERTEBRALE

Sarvangâsana a, sur la colonne vertébrale, des effets fort différents de Shirsâsana.

Sarvangâsana efface les courbures physiologiques normales de la colonne vertébrale qui lui donnent l'apparence d'un S très allongé (surtout dans la variante : voir photo p. 150) tandis que la partie cervicale de la colonne est étirée et aplatie contre le sol, ce qui corrige les défauts dans la statique générale de l'épine dorsale.

MUSCLES

Sarvangâsana fortifie la sangle abdominale, surtout lorsqu'elle est pratiquée avec un arrêt intermédiaire à 30° et 60°.

SYSTEME NERVEUX ET CERVEAU

Sarvangâsana agissant sur la partie cervicale de la colonne vertébrale, les filets nerveux, particulièrement importants dans cette région sont donc libérés, tonifiés, régénérés.

L'irrigation du cerveau par une grande quantité de sang sous légère pression, élimine les spasmes vasculaires cérébraux, origine de tant de maux de tête.

GLANDES ENDOCRINES

La position inversée et l'attitude particulière du cou qui accentue la courbure de la carotide, s'ajoutent à la compression de la région de la glande thyroïde pour y provoquer une abondante irrigation. Sarvangâsana nivelle ainsi les légères altérations fonctionnelles de la thyroïde qui existent pratiquement chez chacun. Ce léger hyper- ou hypo-fonctionnement, sans être pathologique, a cependant un retentissement marqué, sur le métabolisme notamment. Sarvangâsana, en agissant sur la glande thyroïde, influence non seulement toutes les fonctions, mais aussi notre comporte-

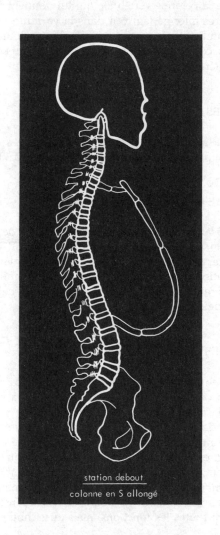

station debout
colonne en S allongé

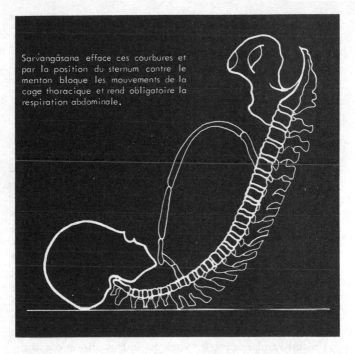

Sarvangâsana efface ces courbures et par la position du sternum contre le menton bloque les mouvements de la cage thoracique et rend obligatoire la respiration abdominale.

ment : les hypo-thyroïdiens ont tendance à être lents, lourds, indolents ; les hyper-thyroïdiens, par contre (ils sont légion !), respirent trop vite et superficiellement, font de la tachycardie, leurs intestins sont spasmés. La normalisation des fonctions de la thyroïde donne du calme, de l'assurance, et, sauf excès de table, elle stabilise le poids. L'hypophyse et l'hypothalamus, considérés comme régissant la production hormonale des autres glandes endocrines, sont également stimulées, ce qui complète ainsi l'action de la pose sur la tête. Sarvangâsana influence aussi le thymus, qui règle en majeure partie la croissance et dont l'importance physique autant que psychique est primordiale chez l'enfant et l'adolescent.

Même à l'âge adulte, le thymus joue un rôle essentiel pour notre défense immunitaire.

RESPIRATION

La pression du sternum contre le menton empêche les mouvements de respiration haute et limite les mouvements thoraciques ; de ce fait, la respiration devient forcément diaphragmatique. Il n'est donc pas étonnant que Sarvangâsana ait des effets salutaires sur certaines formes d'asthme et que cette posture est apprise aux adolescents souffrant de ce défaut respiratoire. Un ami, adepte du yoga de longue date, m'a signalé que son fils souffrant d'asthme a séjourné dans un établissement suisse où l'on fait pratiquer Sarvangâsana et la pose sur la tête aux jeunes asthmatiques.

L'asthmatique respire du haut des poumons en soulevant les épaules, ce qui lui est impossible dans Sarvangâsana : il est donc mécaniquement forcé de respirer de l'abdomen. De plus, les viscères pèsent sur le diaphragme ce qui favorise l'expiration et restitue la mobilité à cet organe figé chez l'asthmatique.

Un autre ami, adepte du yoga quoique souffrant d'asthme depuis très longtemps, coupe les crises naissantes avec Sarvangâsana et la respiration yogique. Cette âsana est donc un précieux adjuvant à la thérapeutique médicale.

ORGANES ABDOMINAUX

Sarvangâsana combat les ptoses et produit un véritable drainage décongestionnant de l'abdomen, effaçant les stases sanguines des viscères, et éliminant, du moins temporairement, les congestions du bas-ventre (prostate !).

CIRCULATION SANGUINE

Dans l'ensemble, les effets de Sarvangâsana sont similaires à ceux de la pose sur la tête. Notons spécialement les répercussions favorables sur les veines des jambes (prévient les varices) et sur les hémorroïdes. Les personnes souffrant de ces maux pratiqueront cette posture plusieurs fois par jour (deux ou trois fois p. ex.) même habillées, en supplément au traitement médical. Sarvangâsana est spécialement recommandée aux personnes que leur métier astreint à de longues heures de station debout.

EFFETS ESTHETIQUES

Cette pose entraîne une abondante irrigation du visage, surtout du front où la peau rosit dès les premières secondes.

Elle prévient et fait même rétrograder les petites rides naissantes.

Sarvangâsana irrigue aussi le cuir chevelu et nourrit les racines des cheveux.

Position de départ : identique à celle de la Charrue. Respirer calmement, rentrer le menton vers le sternum, pour préparer la nuque à s'aplatir contre le sol. Les pieds sont joints, mais sans raidir les jambes. Avant de commencer à lever les jambes, appliquer les lombes contre le tapis.

Les personnes trop cambrées qui ne peuvent aplatir les lombes au sol en levant les jambes, fléchiront légèrement les genoux jusqu'à ce que le bas du dos touche le tapis. Ce sera leur position de départ jusqu'à ce que la pratique du yoga ait réduit cette cambrure anormale.

Pendant que les jambes se soulèvent lentement, le dos reste plaqué contre le sol, pour éviter un porte-à-faux dans les lombes. Continuer à respirer normalement. Ne pas tendre les jambes (mollets, dessous des cuisses) ni pointer les pieds. Relaxer le visage, les épaules et les bras : c'est la sangle abdominale et les psoas iliaques qui réalisent le mouvement.

Facultativement, intercaler un temps d'arrêt à cet angle (30°) et un autre à 60°. Pendant cette halte, l'adepte continue à respirer normalement.

Amener les jambes à la verticale. Jusqu'ici donc, Sarvangâsana et Charrue sont idetiques.

Au moment où le postérieur se soulève du sol, les muscles des jambes se tendent un peu. Amener les pieds à la verticale du visage ; continuer à respirer calmement. Les débutants peuvent s'aider des mains placées sous les fesses pour les soulever du sol.

Les pieds montent lentement vers le plafond. Relaxer la nuque et la laisser s'aplatir sur le sol. Le sternum se rapproche du menton. Ne pas bloquer le souffle. Relâcher les muscles des cuisses et des mollets.

142

POSITION FINALE CORRECTE

Le tronc est vertical, toutefois, ni les pieds, ni les mollets, ni les cuisses ne sont tendus. Le sternum touche le menton, la nuque étirée est plaquée au sol.

ERREUR

Les pieds sont pointés, donc les jambes sont tendues.

143

*Le tronc devrait être plus ver-
tical. Le sternum ne touchant
pas le menton, il n'y a aucune
action directe sur la thyroïde.
Cette position peut cependant
être admise au début. Pour la
corriger, il faudrait descendre
les mains et, par une poussée
des avant-bras, redresser le
tronc.*

*Relâcher les muscles de la
nuque, pour qu'elle s'étire et se
rapproche du sol.*

*Premier temps de la phase
dynamique.*

*Tandis qu'une jambe reste
immobile, l'autre descend de
son propre poids vers le sol.
Continuer à respirer.*

*Relâcher les cuisses et les
mollets. Ramener la jambe à la
verticale, puis laisser
descendre l'autre jambe.*

*Effectuer ainsi un double
mouvement alternatif.*

Laisser ensuite les deux jambes jointes descendre de leur propre poids vers le sol. Relaxer les mollets et les cuisses et continuer à respirer calmement. Dès que les orteils ont touché le sol, revenir à la position finale pour la phase statique qui commence dès cet instant (voir photo 6) et pendant laquelle il faut faire 5 à 10 respirations profondes.

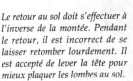

Le retour au sol doit s'effectuer à l'inverse de la montée. Pendant le retour, il est incorrect de se laisser retomber lourdement. Il est accepté de lever la tête pour mieux plaquer les lombes au sol.

Si on laisse la tête quitter le sol, en contractant la sangle abdominale les lombes se pla-
quent bien au sol et sont protégées
  La descente doit être lente et contrôlée jusqu'au bout.

Tant à la montée qu'au retour au sol, les néophytes peuvent plier légèrement les
genoux et, éventuellement, s'aider en plaçant les mains sous les fesses.

POUR LES DEBUTANTS

Les débutants pourront se contenter de réaliser la position ci-dessus — Ardha-Sarvangâsana (Ardha = demi en sanscrit). Ils pourront, par la suite, redresser les jambes et parvenir ainsi sans trop de peine à la position yogique finale représentée ici.

VARIANTE DE LA POSITION FINALE
(POUR ADEPTES PLUS AVANCES)

A) Dès le départ, les bras sont allongés derrière la tête.

B) Placer ensuite les mains contre les cuisses. Les bras sont aussi relaxés que les jambes. Chercher le point « zéro » où l'équilibre est parfait et où tout effort a disparu.
Tenir le plus longtemps possible en respirant profondément et lentement.

halâsana
la charrue

HALASANA désigne en sanscrit la pose de la Charrue *(hala = charrue, âsana = posture)*. C'est l'une des rares, sinon la seule âsana qui soit redevable de son nom à un outil, en l'occurrence les charrues primitives de l'Inde ancienne.

Habituellement, les yogis utilisent des noms d'animaux ou d'insectes (Cobra, Sauterelle, Paon, etc.). C'est une des principales poses du groupe des flexions vers l'avant.

TECHNIQUE

POSITION DE DEPART

a) pour débutants et élèves moyens : départ couché sur le dos, les mains le long du corps, paumes au sol ;

b) pour les élèves avancés : idem, mais les bras étendus (derrière la tête, dos de la main au sol (photo 2) ;

c) pour les adeptes les plus avancés : idem, mais les mains croisées sous l'occiput (photo 3).

Dans TOUS les cas, avant de commencer le mouvement il est important, en s'aidant des mains, d'étirer et d'appliquer la nuque le plus possible sur le sol, de rapprocher le menton de la poitrine, ce qui facilite le mouvement et permet une meilleure compression du corps thyroïde dans la phase finale. Il faut bien appliquer la colonne vertébrale au sol, surtout dans la région lombaire, pour établir un contact aussi intime que possible avec le tapis. Si une cambrure trop accentuée empêche de toucher le sol, plier les jambes pour plaquer les lombes contre le tapis, éviter tout porte-à-faux et faciliter la prise de la position.

EXECUTION

Halâsana se divise en deux parties distinctes :
a) la phase dynamique ;
b) la phase statique.

a) PHASE DYNAMIQUE

La phase dynamique comprend trois DEROULEMENTS successifs de la colonne vertébrale sur toute sa longueur. Elle précède la période d'immobilisation qui est l'âsana proprement dite, et s'exécute comme suit :
1° A partir d'une des trois positions de départ citées, d'un mouvement lent et continu, sans accélération, ni ralentissement, amener les jambes à la verticale. Certains yogis marquent un temps d'arrêt quand les jambes forment un angle de 30° avec le sol, et un second à 60°. Durée : deux à trois respirations. Facultatif et réservé aux adeptes avancés.

2° Par la contraction des abdominaux et des psoas iliaques, les jambes restant droites, attirer les cuisses vers la poitrine, pour dérouler le bas du dos. Vers la fin de la trajectoire, plier un peu les jambes afin que les genoux frôlent le visage.

3° Etendre les jambes et laisser les pieds descendre le plus près possible du sol pour les éloigner ensuite de la tête, ce qui accentue la courbure du dos. La moitié supérieure de l'épine dorsale est alors courbée, spécialement la nuque.

RETOUR AU SOL

Lorsque, sans forcer, les pieds ont été repoussés le plus loin possible derrière la tête, sans s'immobiliser, revenir à la pose de départ à la même allure et dans l'ordre inverse de l'aller. Ne pas laisser les jambes retomber lourdement ! Comme dans tous les mouvements yogiques, contracter les muscles le moins possible et en utiliser un nombre minimum. Eviter de pointer les pieds, ce qui créerait des tensions dans les jambes, laisser pendre les pieds en « porte-manteau ».

Répéter trois fois, avec un bref relax entre les mouvements.

LES DEBUTANTS...

...peuvent s'aider des mains pour soulever le postérieur, mais éviteront de céder à la tentation de prendre de l'élan pour amener les pieds derrière la tête. Il est préférable d'arriver au but un mois plus tard que d'utiliser une lancée ou la violence.

b) LA PHASE STATIQUE

STADE NORMAL

La phase statique constitue l'âsana proprement dite et consiste, à la fin du troisième déroulement, à s'immobiliser dans la position finale atteinte à la fin de la phase dynamique et à s'y maintenir durant le temps prescrit. Rester immobile, se relaxer et laisser le poids des jambes étirer la colonne vertébrale.

STADE AVANCE

Les adeptes plus avancés, après avoir tenu la pose normale pendant cinq à dix respirations, fléchiront alors les jambes et placeront les genoux contre les oreilles, puis glisseront les mains derrière les genoux et la nuque. Procédez une main à la fois, l'autre aidant à garder l'équilibre. Ecartez les coudes et poussez-les vers le sol pour accentuer la flexion de la colonne vertébrale. Facultativement, étendre les bras derrière le dos et exécuter une poussée avec les paumes : le corps prend ainsi l'aspect d'un Ω.

LE RETOUR AU SOL...

...en sens inverse.

DUREE

Quand Halâsana fait partie d'une série intégrée, c'est-à-dire une séance normale de yoga, l'immobilisation dure de 5 à 10 respirations normales, sans rétention de souffle.

Les débutants se limiteront à 5 respirations et augmenteront progressivement le nombre au fur et à mesure des progrès. Quand les yogis pratiquent Halâsana (ou quelque autre âsana) isolément, en endurance, ce temps peut atteindre quinze, voire trente minutes ! Certains auteurs (von Cyrass) citent ce temps, mais sans donner cette précision, ce qui crée une confusion. En endurance, la difficulté n'est pas de maintenir la posture car, avec un peu de pratique, elle devient confortable, mais bien de garder l'immobilité absolue car après quelques minutes, le mental proteste ! Essayez de tenir ainsi durant 5 minutes... vous verrez !

Souvenez-vous de la définition : toute position maintenue immobile, longtemps, sans forcer est une âsana.

RESPIRATION

Durant tout l'exercice, le souffle restera normal et ne sera bloqué à aucun moment, même en levant les jambes. La respiration doit s'accomplir indépendamment et à son rythme habituel. Quand les genoux sont fléchis, on peut respirer plus profondément encore pour accentuer le massage abdominal.

CONCENTRATION

La concentration, nous le savons, est essentielle en yoga. C'est même une des différences fondamentales entre le yoga et la gymnastique occidentale qui admet une exécution purement mécanique et distraite des mouvements. En yoga, par contre, l'attention doit rester focalisée en permanence sur l'exercice : le mental est à l'avant-plan, le corps doit simplement suivre, obéir.

Pendant la phase dynamique, se concentrer sur l'exécution correcte du mouvement lent et continu, sans saccades, et sur la décontraction de tous les muscles qu'il est possible de relâcher.

Pendant la phase statique, l'intériorisation porte soit sur la respiration (pour les débutants qui auraient tendance à « oublier » de respirer), soit sur l'immobilité absolue, soit encore sur la colonne vertébrale et le cou où se trouve la thyroïde (pour les adeptes avancés).

ERREURS

- plier les genoux dans l'âsana proprement dite, sauf au moment prescrit ;
- forcer : il faut travailler en douceur, sans saccades. Procéder graduellement, éviter toute fatigue. Prendre son temps et relaxer les muscles ;
- si vous brusquez un muscle, vous risquez de devoir attendre plusieurs semaines avant de pouvoir refaire l'exercice ;
- contracter les épaules, les mâchoires, le cou ;
- respirer insuffisamment peut causer une sensation d'oppression.

CONSEILS AUX DEBUTANTS

L'assouplissement de la colonne vertébrale s'obtient en laissant agir le poids des jambes. Attendre que les orteils, grâce à cette traction, se rapprochent d'eux-mêmes progressivement du sol jusqu'à le toucher. Adopter une attitude passive et relaxée. Au début, on peut se sentir mal à l'aise dans la position (respiration gênée si l'on a du ventre), mais cela s'améliore vite.

Ce qui importe, c'est l'exécution quotidienne correcte, sans hâte ni impatience. Gardez le mental neutre et soyez indifférent aux résultats extérieurs, comme s'il s'agissait d'un étranger.

CONTRE-INDICATIONS

Il convient de rappeler que le yoga s'arrête là où commence la médecine. Donc, toute personne souffrant d'une affection aiguë attendra d'être guérie avant de pratiquer le yoga. Dans le doute, consultez votre médecin. Pendant les règles, les femmes éviteront de pousser l'exercice trop loin, surtout la phase de compression de l'abdomen. Soyez prudentes, Mesdames, mais non pusillanimes.

Les personnes souffrant d'une hernie hiatale importante s'abstiendront ainsi que de tout ce qui fait pression de bas en haut sur le diaphragme.

EFFETS BENEFIQUES

Cette âsana constitue un puissant tonique car elle agit sur toute la colonne vertébrale, qui contient et protège la moelle épinière et, en outre, est longée par la chaîne des ganglions sympathiques qui influencent toute la vie végétative ; il est donc compréhensible que cette âsana soit revitalisante et rajeunissante.

L'étirement de la musculature du dos en chasse le sang, pour y provoquer ensuite un afflux de sang frais. Les centres nerveux importants situés à proximité en bénéficient. La souplesse de la colonne vertébrale — si essentielle à la santé — est rétablie ou conservée. La sangle abdominale est fortifiée car, durant la phase dynamique, c'est elle qui commande le mouvement, avec tous les effets heureux que cela comporte pour le maintien en bonne place des viscères.

La glande thyroïde comprimée bénéficie d'un afflux de sang accru et voit son fonctionnement régularisé. En contrôlant le métabolisme, cette glande exerce une influence considérable sur la jeunesse de l'organisme et, par ses sécrétions hormonales, agit sur d'autres glandes, sur l'intestin, sur la pression sanguine, sur la mobilité des cellules migratrices (globules blancs qui luttent contre les infections) et sur l'excitabilité du système nerveux. Une hyperexcitation de la thyroïde provoque de la maigreur et de l'irritabilité. En contribuant au maintien du fonctionnement normal de la thyroïde, elle calme la nervosité. Par contre, les personnes dont la thyroïde ne produit pas assez d'hormones ont un métabolisme ralenti, la peau infiltrée, la pression sanguine trop basse, une activité sexuelle insuffisante et manifestent une paresse physique et intellectuelle. Halâsana exerce une action heureuse dans ces cas mais, s'il s'agit d'une altération pathologique de la thyroïde, il faut consulter son médecin. Les indications ci-dessus valent pour les légers écarts de la norme, qui constituent, en fait, la majorité des cas.

Le lent déroulement de la colonne vertébrale sollicite toutes les vertèbres et constitue un exercice orthopédique idéal. Cette pose est très rafraîchissante. Le soir, quand on est las, il suffit de la prendre pendant une minute ou deux pour se retrouver frais et dispos. Le corps étant en position inversée, le sang afflue vers la tête, d'où une meilleure irrigation cérébrale. Le visage reçoit un supplément de sang artériel, surtout le front et le cuir chevelu : excellent pour prévenir les rides !

En dehors de son action sur la thyroïde, cette posture a un effet bénéfique sur la rate et les gonades, surtout dans la phase finale, quand les jambes sont repliées et que les cuisses rentrent dans le ventre, réduisant l'espace disponible pour les organes abdominaux et les comprimant ; ainsi le sang se trouve exprimé et les stases sanguines éliminées. L'organe le plus visé par ce massage est le foie, qui est dégorgé, décongestionne et stimulé. Or, une congestion, même légère, ou une stase sanguine dans cet organe a une répercussion immédiate sur le fonctionnement de tout le tube digestif. Le pancréas également est massé, dégorgé, tonifié. Dans certains cas, des diabétiques ont pu réduire leur dose

156

quotidienne d'insuline, ou même réussi à normaliser complètement leur état, ce qui s'explique puisque le pancréas renferme les îlots de Langerhans qui produisent l'insuline.

Cette âsana lutte contre la constipation, origine occulte d'innombrables maladies, combat efficacement la cellulite et l'embonpoint, par l'amélioration des fonctions du tube digestif et la normalisation du métabolisme, s'ajoutant au massage mécanique des tissus adipeux dans la phase finale.

Position de départ pour débutants. Remarquer la position de la tête (menton rentré).

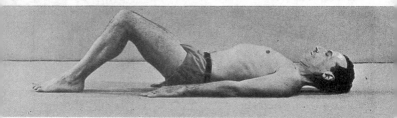

S'il lui est impossible d'aplatir le dos contre le sol avec les jambes allongées, le débutant fléchira les genoux avant de lever les jambes. Cette remarque vaut aussi pour le retour au sol.

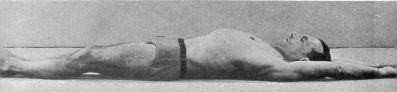

Position de départ pour élèves moyens : le dos (lombes !), la nuque et les bras forment une ligne aussi droite que possible et touchent le sol.

Position de départ pour adeptes avancés : les mains sont sous la nuque ou sous l'occiput.

158

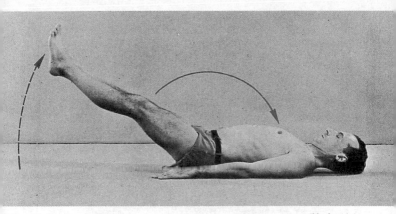

Les jambes se soulèvent lentement. Elles sont aussi relâchées que possible, les pieds ne pointent pas. Le dos reste bien plaqué au sol pour éviter tout porte-à-faux dans les lombes. D'un mouvement continu, amener lentement les jambes à la verticale.

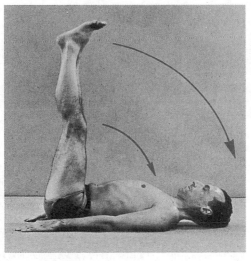

Ne pas marquer de temps d'arrêt quand les jambes sont à la verticale.

La contraction des abdominaux (avec les psoas iliaques, ils commandent tout le mouvement) attire les genoux au plus près de la poitrine pour dérouler d'abord le bas de la colonne vertébrale.

Puis, le déroulement gagne le haut du dos en attirant les genoux vers le visage. A ce moment les jambes sont légèrement fléchies.

160

Les orteils touchent le sol. Lentement, à chaque expiration, les repousser plus loin vers l'arrière. Ceci achève le déroulement de la colonne vertébrale. Les cervicales sont bien étirées.

Phase statique I : minimum 5 respirations. Jambes relâchées. Si les orteils ne touchent pas le sol au début, cela importe peu. Laisser agir le poids des jambes. Pas de saccades ! Relaxer le dos et s'abandonner à l'âsana.

A la fin de la phase statique I, les adeptes avancés peuvent accentuer la courbure dorsale en pointant brièvement les orteils et en repoussant les pieds encore plus loin vers l'arrière. Ce serait cependant une erreur (vénielle) de pointer les orteils pendant toute l'âsana.

Phase statique II (difficulté moyenne). Les genoux sont repliés, les mains au dessus du creux des genoux et sous la nuque. Respirer profondément (massage viscéral très puissant). Toujours passer par la phase statique avant d'exécuter la phase II. Bien comprimer le menton contre le sternum et garder la nuque au sol.

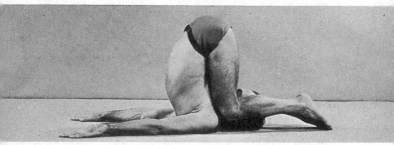

Phase statique III (difficulté moyenne). Peut être prise (facultativement) après la phase II. Les adeptes avancés exécutent successivement les trois phases en faisant, par exemple, 5 respirations dans chaque attitude intermédiaire.

Phase statique unique (pour les adeptes avancés). Position de départ la plus poussée (cf. p. 160). Très fort étirement de la nuque. Durant tout le mouvement, tant à l'aller qu'au retour, les coudes resteront appliqués au sol.

matsyâsana
la pose du poisson

L'origine du nom de cette âsana (*matsya* = Poisson, en sanscrit) qui n'évoque aucun poisson, fût-il exotique, est assez
curieuse ! Les textes classiques sanscrits affirment — à juste
titre d'ailleurs — que cette âsana permet de flotter dans
l'eau comme un poisson. Dans la « planche » classique, le visage émerge à peine, tout juste de quoi pouvoir respirer, tandis que dans la pose du Poisson, il sort beaucoup plus de
l'eau, au point qu'il faudrait des vagues assez importantes
pour recouvrir le visage. En effet, Matsyâsana améliore la
« flottabilité » en ramenant le centre de gravité vers le milieu
du corps, tout en permettant une meilleure ventilation des
poumons.

CONTRE-POSE DE SARVANGASANA ET DE HALASANA

Toutefois, ce n'est pas à cause de ses vertus nautiques que

nous allons l'étudier ! En fait, elle constitue la contre-pose de Sarvangâsana et de Halâsana, qui étirent les cervicales, tandis que le menton, calé contre le sternum, comprime la thyroïde tout en empêchant l'expansion du thorax. Pendant ces deux postures donc, toute respiration thoracique ou claviculaire ample est exclue. Il est indispensable de contrebalancer leur action : c'est pourquoi Matsyâsana vient immédiatement après elles.

En effet, Matsyâsana arque la nuque, dégage et étire le cou, libère la thyroïde de la compression à laquelle elle était soumise (pour son plus grand bien d'ailleurs), favorise la respiration thoracique et claviculaire, et étire l'abdomen.

TECHNIQUE

Classiquement, Matsyâsana se prend en Lotus et c'est exécutée de cette façon seulement qu'elle permet de flotter. Le Lotus étant exclu pour bon nombre d'Occidentaux — et pas uniquement pour les néophytes ! — il existe, heureusement, une variante à la portée de chacun, dont les effets sont, en pratique, identiques à ceux de l'âsana classique. C'est elle que je décris ci-dessous.

POSITION DE DEPART

Au départ, il faut s'asseoir au sol, les jambes étendues devant soi.

Premier temps

En inclinant un peu le tronc vers l'arrière et vers la droite, posez le coude droit au sol et appuyez-vous sur lui. De même, placez le coude gauche par terre.

164

Deuxième temps

Pousser la poitrine en avant et vers le haut, tout en renversant la tête en arrière le plus loin possible, de façon à « voir le monde à l'envers ». Cambrer les reins tout en s'arc-boutant sur les coudes.

Remarque : chez quelques rares personnes (en général celles qui souffrent du mal de mer et de l'air), cette position de la tête provoque des nausées et des vertiges. Ces inconvénients sont liés à un défaut dans l'oreille moyenne, auquel il est impossible de remédier. Dans ce cas, il est inutile d'insister ; il faut renoncer à cette âsana et la remplacer dans la séance par un relax d'une ou deux minutes, accompagné de respirations profondes.

POSITION FINALE

Laisser descendre la tête jusqu'au sol en déplaçant les coudes vers l'avant. Creuser les reins autant que possible pour former une arche reposant, d'une part, sur le sommet de la tête, d'autre part, sur le postérieur, avec appui intermédiaire sur les coudes.

Au début, l'adepte se contentera de pratiquer ainsi : plus tard, l'aisance venant, il posera les mains sur les cuisses, ce qui supprime — évidemment ! — l'appui des coudes.

DUREE

Tenir la pose pendant au moins dix respirations profondes.

RETOUR AU SOL

Le retour au sol ne s'effectue pas en sens inverse de la prise de l'âsana, mais bien en relaxant le dos pour se coucher au sol ; se reposer ainsi pendant quelques secondes.

RESPIRATION

Il s'agit de placer la respiration le plus haut possible vers les clavicules. Matsyâsana ouvre largement la trachée ; profitez-en pour ventiler à fond le sommet des poumons. Ecartez bien les côtes pendant que vous soulevez les clavicules. La respiration abdominale est réduite, ce qui est prévu et voulu.

En expirant, contractez les muscles qui rapprochent les côtes pour vider les poumons à fond. Enfin, contractez la sangle abdominale pour expulser les derniers centimètres cubes d'air hors des poumons.

REPETITION

Intégrée dans une série d'âsanas, une seule exécution suffit, mais si vous disposez du temps nécessaire, une seconde exécution se recommande. Toutefois, il est préférable de recourir à deux exécutions successives plutôt que de doubler le temps de maintien de l'âsana car, à la seconde fois, on cambre mieux les reins.

CONCENTRATION

Il s'agit de diriger l'attention alternativement vers la musculature du dos contractée, puis vers la respiration profonde et haute.

ERREUR

Une erreur fréquente consiste à soulever le postérieur du sol.

POSTURE CLASSIQUE

Pour les personnes qui sont capables de prendre la pose du Lotus, tout ce qui précède reste valable, sauf évidemment la position de départ.

Autre différence : dans l'attitude finale, on saisit les pieds pour exercer une traction qui accentue la cambrure lombaire et accroît l'efficacité de la posture.

EFFETS BENEFIQUES

Dans son rôle de contre-pose, elle assure la pleine efficacité de Sarvangâsana et de Halâsana, en équilibrant leur action. Elle procure, au surplus, des avantages particuliers qui concernent surtout le thorax, la colonne vertébrale et l'abdomen.

THORAX ET POUMONS

Matsyâsana agit surtout sur le thorax.

En nous immobilisant dès l'enfance durant de longues heures sur les bancs d'école et à des pupitres, la civilisation est responsable de bien des thorax étriqués dont les côtes, au lieu de se placer dans l'angle correct, sont disposées en oblique par rapport à la colonne vertébrale. Cela réduit le volume disponible pour les poumons, c'est-à-dire la capacité vitale, et rendant impossible une respiration normale, au détriment de la vitalité et de la santé. Faites Uddiyana devant un miroir et observez vos côtes qui font saillie. Chez les personnes de « style gothique », les côtes dessinent une ogive et sont mal disposées ; si elles forment un dôme, votre thorax est normal. Pour la catégorie « gothique », Matsyâsana est une bénédiction et ces adeptes ont intérêt à la pratiquer assidûment, voire plusieurs fois par jour, même en dehors de la séance quotidienne de yoga. Mesurez aujourd'hui votre périmètre thoracique au niveau de la pointe du sternum (appendice xyphoïde). Vérifiez d'ici six semaines : l'amélioration constatée vous convaincra et vous encouragera. Les poumons étant solidaires du thorax, votre capacité vitale aura augmenté d'autant. Pendant l'âsana, c'est surtout le lobe supérieur du poumon et plus spécialement la partie sous-clavière, qui est mieux ventilée.

COLONNE VERTEBRALE

Un thorax étriqué s'accompagne souvent d'un dos rond et rigide, surtout aux omoplates : Matsyâsana agit directement sur cette zone défavorisée.

Au début, ces personnes auront bien du mal à prendre, même vaille que vaille, la posture du Poisson. Qu'elles ne se découragent pas : un travail patient et obstiné vaincra l'obstacle. Le jeu vaut la chandelle.

MUSCULATURE

Matsyâsana fortifie surtout la musculature de la colonne vertébrale. Le dos rougit, suite à l'intense afflux sanguin, tandis qu'une agréable chaleur s'y manifeste. L'âsana agit aussi sur la sangle abdominale qu'elle étire, sans pourtant la distendre.

168

SYSTEME NERVEUX

L'abondante irrigation sanguine de la musculature dorsale citée ci-dessus se propage à la moelle épinière, ce qui relève le tonus vital en stimulant d'une façon physiologique et douce toutes les fonctions essentielles de l'organisme. Le système nerveux sympathique en bénéficie aussi. La zone du plexus solaire, souvent sous l'emprise de spasmes permanents, dûs à l'anxiété constante que distille notre vie survoltée, est décongestionnée par l'étirement de l'abdomen, allié à la respiration profonde.

VISCERES DE L'ABDOMEN

Cet étirement de l'abdomen, auquel s'ajoute le massage interne par la respiration profonde, tonifie en plus tous les viscères du ventre ; le foie et la rate figurent parmi les principaux bénéficiaires. Cette posture est très bénéfique à la femme, car les organes pelviens sont stimulés, notamment les organes génitaux (ovaires en particulier).

Matsyâsana soulage les hémorroïdes douloureuses et saignantes, sans dispenser du traitement médical approprié, auquel elle confère une efficacité accrue.

GLANDES ENDOCRINES

Nous avons noté ci-dessus que les gonades sont particulièrement visées, ce qui favorise la sécrétion d'hormones sexuelles. Les surrénales sont tonifiées, la production d'adrénaline et de cortisone est normalisée sans risque de dépasser les normes physiologiques. Cette posture, en stimulant en plus le pancréas, aide à combattre les cas de faux diabète d'origine nerveuse.

EFFETS ESTHETIQUES

En remodelant le thorax et en redressant le dos, Matsyâsana, assure un maintien correct, ce qui n'est pas sans répercussions heureuses sur le plan psychologique.

EFFETS PARTICULIERS A LA POSTURE CLASSIQUE

Les avantages décrits ci-dessus s'appliquent intégralement à l'âsana classique auxquels s'ajoutent les suivants.

Dans la posture classique, le Lotus ralentit la circulation, notamment par la compression de l'artère fémorale dans les cuisses, entraînant une déviation partielle de l'afflux sanguin destiné aux jambes vers le bas-ventre. Chez l'homme, les gonades en sont les premiers bénéficiaires ; Matsyâsana est donc une pose spécialement revitalisante.

Partant de la position assise, jambes étendues devant soi, déposer un coude au sol puis prendre appui sur lui avant de placer le second coude au tapis.

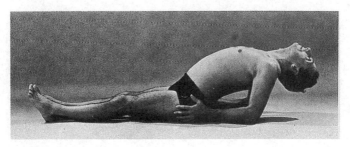

Quand les coudes touchent le sol, pencher la tête en arrière en creusant les reins autant que possible et…

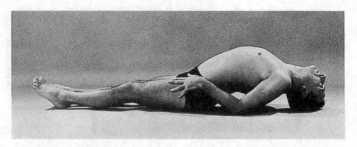

...déposer la tête au tapis. Au début, les coudes peuvent rester au sol pour servir de support intermédiaire à l'arche formée par le dos, arche dont les points d'appui sont d'une part le sommet de la tête et d'autre part le fessier.

Dans cette position, la trachée s'ouvre largement : respirer profondément pour ventiler le lobe supérieur des poumons.

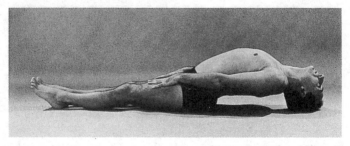

Placer les mains sur les cuisses : la suppression de l'appui central rend la posture plus difficile mais plus efficace. Continuer à respirer profondément ; contracter puissamment la musculature dorsale.

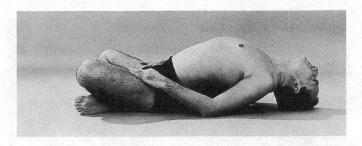

Cette variante de la posture se pratique à partir de Sukhâsana, la posture facile, c'est-à-dire la pose du tailleur.

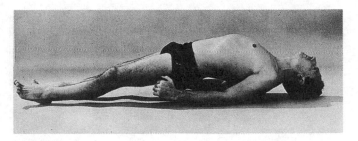

ERREUR : le postérieur est soulevé du sol.

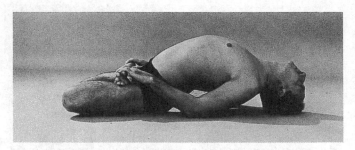

Matsyâsana classique s'exécute à partir de la pose du Lotus, ce qui la rend, hélas !, inaccessible à bien des Occidentaux. Les poumons, gonflés au maximum, constituent un excellent flotteur qui permet de se maintenir à la surface de l'eau sans devoir faire le moindre mouvement.

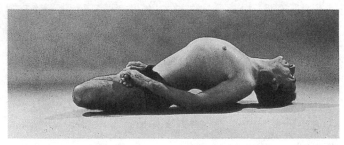

Cette attitude diffère de la précédente par un détail « respiratoire » : à la fin de l'expiration, achever de vider les poumons à fond en rétractant l'abdomen.

174

pashchimotânâsana
la pince

Oui, vous avez bien lu !

Pashchimotânâsana... ce qui se prononce Pachtchimotân-âssana (le ^ indiquant l'accent tonique) et c'est l'une des postures pour lesquelles les traductions les plus diverses circulent. Il peut paraître oiseux de s'attarder à déterminer le sens exact du nom sanscrit d'une âsana, l'essentiel étant la pose et non l'appellation, contrôlée ou non. On serait tenté de laisser cette recherche aux sanscritistes érudits, et de s'en tenir à la pratique mais, dans le cas particulier de cette âsana, il est capital d'en saisir le sens exact. Je propose, pour simplifier un peu, de l'appeler « Paschimotanâsana ».

Les yogis — vous le savez — aiment nommer les âsanas d'après l'animal qu'elles évoquent (Cobra, Sauterelle, etc.) pour en faciliter la mémorisation et l'identification. Or, si Paschimotânâsana fait exception à cette règle, ce n'est certes pas parce que les yogis manquent d'imagination au point d'être incapables de lui trouver un nom symbolique convenable. S'ils ont dérogé à la règle c'est pour une raison bien précise qui décrit exactement le rôle de la posture.

Commençons par son sens anatomique :

En sanscrit, *paschima* signifie « postérieur, Ouest » et *tân* « extension, étirement ». La traduction littérale serait « extension (ou élongation) de la face postérieure (du corps) ». Un auteur n'hésite pas à l'appeler « extension du postérieur » !

D'autres nomment cette âsana « la Pince assis » par opposition à « la Pince debout » *(Padahastâsana)* et comme ce nom est bref, nous serions tentés de l'adopter.

Mais Paschimotânâsana recèle un sens occulte qu'il faut évoquer. « *Pashchima* » = Ouest, Pashchimotânâsana signifierait « montant vers l'Ouest », ce qui paraît dépourvu de sens et est impénétrable aux non-initiés, ce qui est d'ailleurs le but visé. Toutefois Alain Daniélou nous en donne la clé dans son livre *YOGA, méthode de réintégration*, p. 50 :

« Lorsque, dans cette posture, le souffle de vie subtil monte par l'artère centrale du corps subtil (*Sushumnâ*) jusqu'à l'arrière de la tête, on dit qu'elle « remonte la voie arrière » (Ouest, *Pashschima*, Voie, *Marga)*, d'où le nom qui lui est donné. Mais, lorsqu'il monte par l'artère subtile entre les sourcils, au centre du sommet de la tête, ou « lotus-aux-mille-pétales », il suit la « voie du front » (Est, *Pûrva, Marga*). Alors que dans la Posture de Réalisation (*Siddha-âsana*) les artères postérieure et antérieure, Ouest et Est, du corps subtil ont une égale importance, ici c'est l'artère postérieure qui est la plus importante. En outre, lorsque le souffle de vie subtil passe par une seule des deux artères subtiles, on obtient des résultats plus rapides, et là réside le mérite spécial de cette posture. » Plus simplement et en bref, quand le yogi fait ses Salutations au Soleil levant, la face éclairée est l'avant du corps, la face Est. L'autre face, qui va des talons à la tête est alors la face Ouest et c'est celle-là qu'il s'agit d'étirer. Toute la technique en découle.

TECHNIQUE

POSITON DE DEPART

Se coucher sur le dos, les bras allongés derrière la tête, en essayant de s'étirer autant que possible. Ceci est la technique enseignée à Rishikesh. Dans le Sud de l'Inde on part de la position assise (cf. « Pince du Sud », p. 191). Le style Rishikesh, auquel je me tiendrai ici, déroule mieux la colonne, l'autre place le bassin plus favorablement.

Un des avantages de la Pince, style Rishikesh, est qu'elle comporte une phase dynamique qui prépare bien la posture finale. D'ailleurs, une fois la position atteinte, les deux exécutions sont identiques et ont les mêmes effets bénéfiques.

PRISE DE L'ASANA

Comme la Charrue et le Cobra, cette pose a donc une phase dynamique et une phase statique.

PHASE DYNAMIQUE

La phase dynamique comporte trois déroulements successifs de la colonne vertébrale, s'enchaînant en un seul mouvement lent et continu.

Premier temps

Allongé sur le dos, étendre les bras derrière la tête et respirer à l'aise.

Après un bref relax, amener lentement les bras à la verticale, la tête restant au sol, immobile ; les pouces sont entrelacés pour assurer une flexion dans l'axe du corps, les muscles des bras sont aussi détendus que possible, au point qu'en mettant un peu moins de force, ils ne se soulèveraient pas.

Deuxième temps

Quand les bras sont à la verticale, l'arc de cercle parcouru par les mains se poursuit vers les cuisses, tandis que la tête et les épaules se soulèvent, le regard suit les doigts, mais le dos reste au sol : TRES IMPORTANT.

Maintenant, le regard se dirige vers les genoux.

Troisième temps

Dès que les doigts ont touché les cuisses, pousser les mains vers les pieds en frôlant les jambes le long des tibias ; soulevé, le tronc arrive ainsi à la position assise puis se penche vers l'avant. Il est essentiel de dérouler la colonne sur toute sa longueur. Les photos détaillent ce mouvement.

Tandis que les mains progressent lentement vers les pieds, le front descend d'abord vers les genoux, si possible jusqu'à les toucher, puis s'avance le plus possible vers les pieds. Le corps se plie en deux, comme un canif, la poitrine s'applique contre les jambes (débutants : voir plus loin, p. 181).

RETOUR AU SOL

Revenir lentement à la position de départ en veillant à bien dérouler le dos en sens inverse jusqu'au sol, en ne laissant les mains quitter les cuisses que lorsque presque tout le dos touche le tapis. Replacer les bras derrière la tête.

Il faut respecter ces détails, faute de quoi vous vous priveriez d'une partie importante des effets de l'exercice.

REPETER TROIS FOIS LE MOUVEMENT DECRIT constitue la phase dynamique.

PHASE STATIQUE

La phase statique se place à la fin du troisième déroulement.

POSE FINALE

Pousser les mains le long des tibias et saisir les orteils puis, par une traction lente et continue, attirer d'abord la poitrine vers les cuisses. Enfin, propulser le menton en direction des pieds pour aplatir et étirer le dos, toujours par une traction sur les orteils.

C'est le stade final : y respirer profondément de cinq à dix fois. Durant tout l'exercice, le dos doit être aussi passif et décontracté que possible. Le mouvement est intensifié à l'aide de la sangle abdominale et des psoas iliaques.

VARIANTE POUSSEE

Les adeptes avancés écarteront les pieds en orientant les orteils vers l'intérieur et toucheront le sol avec le front, ou mieux avec le menton. S'immobiliser dans cette attitude et respirer profondément.

CONSEILS POUR DEBUTER

Aux premiers essais, il est parfois malaisé de passer de la position couchée à la position assise. Dans ce cas, trichez un peu, soit en fléchissant les genoux et en accrochant le creux du genou avec les mains, soit en glissant les pieds sous un meuble. Bientôt la colonne vertébrale s'assouplit et l'on arrive à se soulever d'abord avec un peu d'élan, enfin sans élan.

Pour que l'âsana soit parfaite, les jambes doivent être

droites et rester appliquées au sol, mais si c'est impossible au début, IL EST TOLERE DE PLIER LEGEREMENT LES GENOUX, car cela affecte peu la position de la colonne vertébrale. Cette âsana est souvent difficile d'accès au début. Dans mon livre *Ma séance de Yoga* je décris plusieurs techniques pour y parvenir sans trop de difficultés.

ERREURS

Voici les erreurs les plus fréquentes :

- Soulever le dos avant que les mains n'aient touché les cuisses, sinon la colonne se déroule mal.
- Lorsqu'on a saisi les chevilles, pour attirer le front vers les pieds, faire des mouvements saccadés et répétés comme en gymnastique. Cela empêche le dos d'être passif, décontracté ; mieux vaut aller moins loin, mais sans saccades.
- Fléchir les genoux ; erreur tolérée au début.
- Au retour, se laisser retomber au sol sans dérouler la colonne.

DUREE

Le temps d'immobilisation variera beaucoup selon qu'il s'agit d'un débutant ou d'un adepte avancé et selon que la pose est intégrée à une série d'âsanas ou pratiquée isolément.

A) Dans une série intégrée

Phase finale : cinq à dix respirations complètes et profondes constituent la moyenne.

B) Pratiquée seule en endurance

Les yogis diront : « tenir le plus longtemps possible », sans autre précision. Pour fixer les idées, la durée varie de 3 à 15 minutes ou plus, comme l'indique von Cyrass. Dans ce cas, les effets décuplés amènent au bout de quelques mois un rajeunissement spectaculaire de l'organisme, mais il ne faut pas se lancer dans des prouesses de ce genre sans être guidé personnellement par un instructeur compétent.

En pratique, cette mise en garde est superflue car l'Occidental parvient souvent à peine à consacrer au total 30 minutes au yoga par jour ! Dommage !

RESPIRATION

Comme toujours, elle reste continue et normale à travers toutes les phases et ne sera stoppée à aucun moment, surtout pas pendant que le tronc se soulève pour passer du plat-dos à la position assise. Quand vous attirez le front vers les pieds, vous constatez qu'il est plus aisé de descendre en expirant qu'en inspirant. Pendant l'immobilisation finale, profitez de chaque expiration pour mieux relâcher le dos et grignoter quelques centimètres ou millimètres !

CONCENTRATION

Pendant la phase dynamique, concentrez-vous au choix, soit sur le mouvement lent et progressif, soit sur la décontraction des muscles du dos et sur la respiration.

Bien que cette pose étire le dos, ce n'est PAS sur la colonne vertébrale que le mental doit se concentrer, mais sur la région du plexus solaire. Pendant la phase statique se concentrer au bas du dos (lombaires) si on le désire.

EFFETS BENEFIQUES

GENERALITES

Les effets procurés par la phase dynamique diffèrent de ceux obtenus pendant la période d'immobilité qui lui succède.

La phase dynamique produit une stimulation générale des filets nerveux répartis le long de la colonne vertébrale, grâce au lent déroulement qui donne, en outre, une élasticité parfaite à l'épine dorsale, tonifie tout l'organisme et agit sur les ganglions de la chaîne sympathique. La sangle abdominale qui assure, avec les psoas iliaques, le soulèvement du tronc se fortifie.

Pendant la phase statique, les effets viennent de la compression du ventre contre les cuisses, tandis que la contraction de la sangle abdominale tonifie les viscères. L'élongation du bas du dos stimule l'ortho-sympathique pelvien et son antagoniste, le para-sympathique pelvien, ce qui a des répercussions sur toute l'activité viscérale abdominale. Cette âsana élimine la « graisse de luxe » au ventre et aux hanches.

COLONNE VERTEBRALE

Paschimotânâsana et Halâsana, la Charrue, se complètent et conjuguent leur action : la phase statique de Halâsana agit surtout sur la partie supérieure de la colonne vertébrale, tandis que Paschimotânâsana tonifie sa partie pelvienne. Pendant ces âsanas, les vertèbres s'écartent légèrement, dégageant ainsi les filets nerveux émergeant des trous de conjugaison.

L'étirement poussé des muscles de la gouttière vertébrale en exprime le sang, ce qui, au retour à la position normale, provoque l'afflux sanguin et favorise l'irrigation de la moelle épinière.

MUSCULATURE ET SYSTEME NERVEUX

Outre la musculature de la colonne vertébrale, la sangle abdominale est fortifiée. Les muscles et ligaments postérieurs
de la jambe sont étirés ainsi que les nerfs (sciatique !).
D'ailleurs, elle soulage certains cas de sciatalgies en dégageant le nerf à ses affleurements et en l'étirant. Dans la phase statique finale, outre le système nerveux central, le plexus
solaire est doucement stimulé et décongestionné, donc cette
position aide à dissiper tous les états anxieux, ce qui n'étonnera aucun adepte du yoga : ils savent combien les âsanas
ont une action puissante sur le psychisme, aussi incroyable
que cela puisse paraître à ceux qui ne l'ont pas encore expérimenté.

VISCERES ABDOMINAUX

Aucun organe de la cavité abdominale n'échappe à l'action
stimulante de cette âsana.
   Citons, entre autres, ses effets marqués sur la prostate.
L'activité sexuelle est influencée, dans le sens d'une normalisation ; elle redynamise ceux dont la puissance décline, sans
provoquer de surexcitation morbide. Plusieurs adeptes nous
ont signalé le réveil de l'activité sexuelle normale à un âge
avancé, alors qu'elle était éteinte depuis belle lurette.
Psychologiquement, cet indice de rajeunissement est très favorable à l'équilibre et à l'affirmation de soi-même ; physi-
quement, la remise en action des gonades, dont Voronoff et
bien d'autres ont démontré l'importance de leurs hormones,
a des répercussions profondes sur la santé et est à l'origine
de rajeunissements surprenants. Grâce au yoga, cela se produit sans recourir à des extraits de glandes animales injectés
ou greffés, puisque ce sont les glandes de l'individu lui-
même qui se remettent à produire ces hormones irrempla-

çables. Cela s'applique tant au sexe masculin qu'à la femme, où ce sont l'utérus et les ovaires qui en bénéficient.

Outre le pancréas, spécialement stimulé et tonifié par cette âsana, le foie, les reins, la vessie sont influencés favorablement, tandis que le péristaltisme intestinal est activé, surtout au niveau du côlon, ou gros intestin : bien des cas de constipation opiniâtre ont été définitivement éliminés, parfois en peu de jours.

Cependant, chez certaines personnes, maintenir l'âsana plus de 5 minutes peut, au contraire, accentuer la constipation. Soyez prudents si vous abordez des périodes d'immobilisation de plusieurs minutes sans guide expérimenté.

CIRCULATION LYMPHATIQUE

Habituellement, seule la circulation sanguine nous intéresse. C'est une grave erreur que de sous-estimer l'importance de la circulation lymphatique sur laquelle le yoga agit puissamment, ce qui nous arme dans la lutte contre les infections. Une circulation lymphatique ralentie nous met en état d'infériorité dans le combat contre les bactéries qui, dans certains cas, peuvent remonter le courant et pénétrer en profondeur dans l'organisme, ce qui est impossible quand la circulation lymphatique est normale.

EFFETS HYGIENIQUES

Les effets hygiéniques de cette âsana découlent des paragraphes précédents, aussi nous contenterons-nous de les énumérer.

Cette âsana agit spécifiquement dans les cas de : constipation, hémorroïdes, diabète, dyspepsie, gastrite, inappétence. Elle élimine de nombreux troubles fonctionnels du foie, de la vésicule biliaire, des reins, des intestins, de la rate et la faiblesse séminale. Elle combat l'hypertrophie hépatique et rénale, aide à vider complètement l'estomac et prévient ainsi certaines formes d'ulcère.

Elle efface les hyperlordoses lombaires.

EFFETS ESTHETIQUES

L'amélioration de la statique de la colonne vertébrale corrige le maintien, tandis que la souplesse vertébrale confère de la grâce à tout mouvement. Les effets esthétiques de cette âsana découlent, en outre, de la disparition des bourrelets adipeux au ventre et aux hanches. La silhouette s'affine encore grâce au renforcement de la sangle abdominale qui réduit le tour de taille.

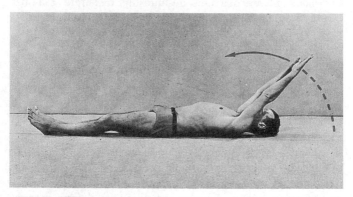

Au début du mouvement, seuls les bras bougent et avec le minimum de force musculaire. Respirer normalement.

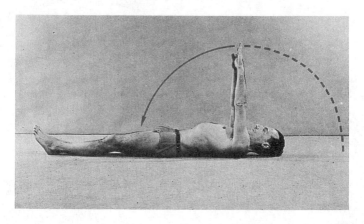

Les bras sont arrivés à la verticale : la tête est toujours au sol. Un détail : les pouces sont accrochés l'un à l'autre afin d'assurer un mouvement symétrique par rapport à l'axe du corps.

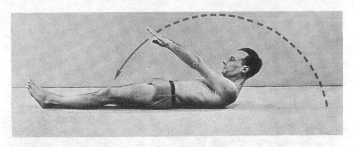

Les mains descendent vers les cuisses. Seules, la tête et les épaules ont quitté le tapis. Les yeux fixent le bout des doigts.

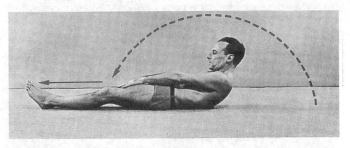

Les paumes touchent les cuisses. Le dos reste encore sur sa plus grande partie en contact avec le sol ; il va s'arrondir et se dérouler vertèbre après vertèbre pendant toute la phase dynamique.

C'est seulement après avoir touché les cuisses que les mains progressent vers les tibias et les pieds ; le dos, déroulé et arrondi, se soulève du sol. Le menton touche le sternum.

FAUX
Parce que le dos se soulève sans que les mains se soient dirigées vers les cuisses, il s'élève d'une pièce, sans se dérouler.

L'adepte ne s'immobilise pas, la tête avance déjà vers les pieds.

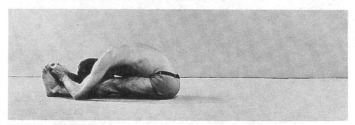

ASANA COMPLETE :
Les majeurs agrippent les orteils, tandis que les pouces s'accrochent. L'adepte s'aplatit le plus possible sur les jambes, tandis qu'une traction sur les orteils étire le dos, justifiant ainsi le nom de la pose : « étirement de la face Ouest ».
RETOUR EN SENS INVERSE.

188

PINCE DU SUD

Ce qui précède est l'exécution classique « style Rishikesh » de la Pince, où l'on déroule la colonne du crâne au sacrum.

Il existe cependant une technique où l'on déroule le rachis du sacrum aux cervicales : c'est le style dit du sud de l'Inde. Dans les deux cas, le résultat final (la posture elle-même) est identique. Toutefois,, pour les Occidentaux, le déroulement à partir du sacrum a de nombreux avantages, voilà pourquoi je le préfère.

TECHNIQUE

POSITION DE DÉPART

Au lieu de partir couché, part assis, les jambes allongées devant soi.

PRISE DE LA POSITION

Les pouces et les index agrippent solidement les gros orteils, puis on creuse les reins au maximum, ce qui bascule le bassin vers l'avant ce qu'il faut bien sentir. En même temps, donc en gardant le bassin basculé vers l'avant, on redresse le haut du dos pour regarder le plafond (ou le ciel) le plus haut possible, ce qui redresse bien la colonne. Ensuite, en gardant le dos ausi plat que possible, une traction sur les orteils incline lentement le tronc vers l'avant, sans arrondir le dos, et rapproche le nez des gros orteils. Donc, on déroule la colonne, vertèbre après vertèbre, *à partir du bas, en essayant de la courber le moins possible.*

POSITION FINALE

Un seul déroulement très lent suffit. Objectif : une fois couché à plat sur les cuisses, les bras attirent le menton vers les pieds, étirant ainsi tout le rachis et les muscles de la face arrière des jambes, réalisant ainsi la vraie Pince.

Le secret de la Pince : elle se fait avec les hanches comme axe (d'où la bascule du bassin) et non pas en courbant le dos !

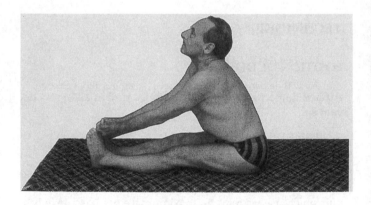

En s'agrippant fermement aux gros orteils, redresser le dos au maximum, pour basculer le bassin vers l'avant.

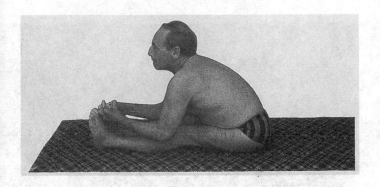

Quand le bassin est bien placé, descendre en gardant le dos aussi droit que possible et avancer le nez vers les orteils.

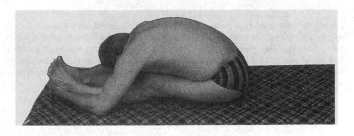

La pose finale est en fait identique à celle de la page 190.
Trente ans séparent ces trois photos des autres photos du livre !
Comme le temps passe !

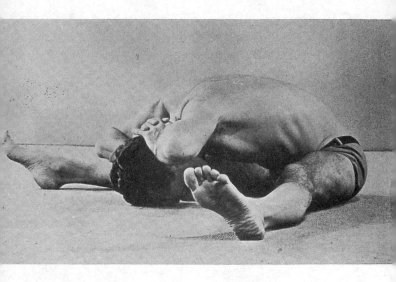

Les adeptes plus avancés peuvent accentuer encore l'étirement en pratiquant l'âsana avec les pieds écartés. Le front descend vers le sol progressivement, sans saccades, en décontractant les muscles du dos et des cuisses. Dans cette position, respirer 5 à 10 fois. Remarquer que le pied est orienté vers l'intérieur de l'angle formé par les jambes. Propulser ensuite le menton le plus loin possible vers l'avant afin d'augmenter l'étirement de la face arrière du corps, des talons à la nuque.

bhujangâsana
le cobra

Cette âsana s'appelle le Cobra parce qu'en l'exécutant, l'adepte soulève la tête et le tronc, comme le reptile irrité qui dresse son capuchon *(bhujanga* = cobra, en sanscrit).

TECHNIQUE

POSITION DE DÉPART

Pour Halâsana plusieurs positions de départ s'offrent au choix de l'adepte tandis que la posture du Cobra se contente d'une seule, facile à prendre correctement, mais capitale pour le bon déroulement de l'âsana.

La voici : allongé face au sol, jambes étendues, pieds joints, la plante tournée vers le haut. Les bras sont pliés, les mains posées à plat au sol, le bout des doigts affleurant l'arrondi de l'épaule (très important), les coudes près des flancs. Poser le front au sol avant de commencer à exécuter l'âsana.

PRISE DE L'ASANA

PHASE DYNAMIQUE

Bhujangâsana est simple : il s'agit de lever la tête et le tronc le plus haut possible pour courber la colonne vertébrale vers l'arrière, mais son exécution inclut un ensemble de détails qui révèlent le raffinement et la perfection technique du yoga. Chaque détail s'avère indispensable et, pour s'en convaincre, il suffit d'en omettre un volontairement pour constater combien l'efficacité de la posture s'en trouve amoindrie.

Avant d'aborder la technique, précisons que, dans sa phase dynamique, Bhujangâsana agit principalement sur le HAUT de la colonne vertébrale, et sur l'ensemble de la colonne pendant la phase statique.

Premier temps

Décrivons le mouvement : L'adepte est à plat ventre, le front au tapis. Il se relaxe un instant, se concentre et pousse lentement le nez vers l'avant, en rasant le sol ; le menton suit, frôlant le tapis et s'avance le plus loin possible, ce qui provoque à la fois l'étirement du cou et la compression de la nuque. Par négligence, cette phase initiale est souvent escamotée, ce qui est regrettable car la nuque est une zone stratégique d'où partent de nombreux nerfs vitaux : le docteur Guillotin en était bien convaincu...

Deuxième temps

Quand le menton est arrivé le plus loin possible vers l'avant, d'un mouvement lent et continu, la tête se soulève par la contraction des muscles de la nuque. Son ascension se poursuit par l'entrée en action successive des muscles dorsaux, donc SANS L'AIDE DES BRAS qui restent relaxés. Le poids du bras repose sur la paume posée au sol. Les yeux regardent le plus haut possible vers le plafond. Quand la contraction des muscles dorsaux est à son maximum, les jambes sont tendues sauf les mollets qui restent relaxés et tout le poids du corps repose sur l'abdomen, où la pression augmente ; le dos rougit, révélant l'important afflux de sang dans la musculature dorsale superficielle et profonde.

RETOUR AU SOL

Le retour au sol s'effectue avec autant de soin que la montée. Le même mécanisme se déroule en sens inverse, c'est-à-dire que d'abord les bras relâchent peu à peu leur pression, tandis que les muscles du dos et des jambes restent relaxés. Lorsqu'on atteint le point où, à l'aller, les bras sont entrés en action, les muscles du dos prennent le relais et contrôlent la descente jusqu'à ce que le menton revienne au sol, le plus en avant possible.

Enfin, le menton est ramené vers l'arrière, puis le nez, jusqu'à ce que le nez et le front touchent à nouveau au sol, comme dans la position de départ.

Cela en vaut la peine, une fois pour toutes, d'étudier soigneusement tous les détails d'exécution, afin d'acquérir la technique correcte, qui n'exige pas plus de temps qu'une exécution erronée.

REPETER TROIS FOIS avec un temps d'arrêt au point culminant.

CONSEIL AUX NÉOPHYTES

Pour être certain que les bras sont vraiment passifs, on peut soit détacher un peu les paumes du sol (l ou 2 cm), soit placer les mains dans le dos, la gauche saisissant le poignet droit.

PHASE STATIQUE

La phase finale de l'âsana et l'immobilisation succèdent au troisième soulèvement dynamique.

Une INVERSION complète se produit alors : les bras, jusqu'ici passifs, vont devenir le SEUL élément musculaire actif, tandis que *le dos subira passivement* la poussée. Cela aussi est généralement ignoré et réduit l'efficacité de la posture.

Dès maintenant, les bras seuls agissent et courbent la colonne vertébrale vers l'arrière. La perfection requiert une passivité totale du dos et des jambes. Il est bon de marquer un temps d'arrêt avant de pousser avec les bras, pour laisser au dos le temps de se relaxer.

Durant cette phase, l'adepte doit sentir la pression et la flexion, partie de la nuque, se propager vertèbre après vertèbre jusqu'à la partie lombaire et sacrée de la colonne. Ne pas oublier de relaxer les fesses, les cuisses et les mollets ; si les pieds tendent à s'écarter un peu, laissez-les se placer d'eux-mêmes dans la position correcte. La rougeur dans le dos se déplace vers le bas de la colonne (reins et sacrum), cf. « Effets sur les reins et les surrénales », etc.

TRES IMPORTANT : à ce stade, veillez à tenir le nombril très près du sol.

Une autre erreur courante qui réduit l'efficacité de la posture, consiste à laisser le cou s'enfoncer entre les épaules. Il faut, au contraire, dresser fièrement la tête et abaisser les épaules, ainsi la courbure augmente encore et atteint son maximum, les bras sont encore un peu pliés, les coudes près du corps. S'il arrive, dans l'attitude finale, que les bras sont tout droits et tendus, cela indique soit qu'au départ les mains n'étaient pas à la bonne place, soit que le ventre se soulève trop ou encore que les épaules ne sont pas abaissées. La pression doit surtout agir entre les omoplates et épargner les lombaires.

VARIANTE DE LA POSE FINALE

La pose finale atteinte, on peut :
— garder la tête droite en regardant devant soi (photo n° 7) ;
— lever les yeux vers le plafond et pencher la tête le plus possible vers l'arrière (photo n° 8).

Cette dernière variante est la plus correcte. Toutefois, elle agit sur la glande thyroïde, ce qui la rend un peu moins favorable aux hyperthyroïdiens.

PHASE D'IMMOBILISATION — DUREE

A) Dans une série intégrée

Au stade final de l'âsana, le temps d'arrêt prend de 3 à 10 respirations lentes ou plus, aussi profondes que possible. Commencer par 3 respirations et en ajouter une chaque semaine, par exemple.

B) Pratiquée isolément

Par contre, si la posture est pratiquée seule, en endurance, l'immobilisation peut durer jusqu'à ce que la fatigue se manifeste. L'âsana peut être répétée plusieurs fois, avec un temps de repos entre chaque exécution. La durée totale atteint alors plusieurs minutes.

POUR LES NEOPHYTES

Au début, si la tête ne monte pas très haut, ne vous désolez pas car cela importe peu. Pourvu que la technique correcte soit appliquée, vous en retirerez tous les effets favorables, ce que la rougeur dans le dos vous garantit et vous révèle. Or, le dos DOIT rougir — et il le fera ! — dès le premier essai exécuté suivant les directives ci-dessus.

RESPIRATION

Durant tout l'exercice, continuer à respirer normalement et sans arrêt, sauf indications contraires d'un instructeur personnel éventuel. Pour saisir l'importance de ce conseil, il suffit d'exécuter une fois l'âsana en bloquant le souffle : le visage se congestionne aussitôt, ce qui est néfaste. Pratiquée en rétention de souffle, elle fatigue, or le yoga ne peut jamais provoquer de lassitude. Au contraire, après le yoga bien fait, on doit déborder de dynamisme et d'entrain. Dans la phase statique, la respiration s'écarte un peu de la normale, puisqu'il faut respirer aussi profondément que possible, mais l'ampleur des mouvements respiratoires sera réduite car l'abdomen est étiré.

CONCENTRATION

Pendant la phase dynamique

Se concentrer sur le mouvement ; la pensée suit la pression qui se propage le long de la colonne vertébrale, vertèbre après vertèbre.

Pendant la phase statique

Se concentrer sur l'ensemble de la colonne vertébrale. Ne pas oublier le souffle !

CONTRE-INDICATIONS

Il n'y a pratiquement pas de contre-indications, pourvu que l'âsana soit pratiquée correctement, sans violence, ni saccades. Si, à un moment quelconque, la posture entraîne une douleur, en diminuer l'intensité. Soyez aimable avec vous-même, ne vous faites pas souffrir !

Au début, il peut arriver que le dos soit courbaturé et qu'une légère douleur se manifeste, douleur qui disparaîtra après quelques jours.

Pour être pleinement efficace, la pose ne doit pas être prise d'une façon trop poussée au début. La rougeur dans le dos qui se manifeste au premier essai, témoigne du travail d'irrigation sanguine qui se fait en profondeur dans toute la musculature de la colonne vertébrale, axe vital du corps.

ERREURS

Veillez à éviter les erreurs suivantes :
- au départ, mettre les mains trop en avant ou trop en arrière ;
- pousser avec les bras pendant la phase dynamique ;
- déplier complètement les bras (même en fin de position, les bras ne sont jamais tout à fait droits) ;
- écarter les coudes du corps (les garder près des flancs) ;
- ouvrir la bouche ;
- plier les genoux ;
- hausser les épaules au lieu de les abaisser ;

- soulever trop le nombril (il doit se rapprocher au plus près du sol).

EFFETS BENEFIQUES

Les effets bénéfiques du Cobra découlent non seulement de la magnifique flexion de l'épine dorsale, mais aussi du renforcement marqué de l'importante musculature de la gouttière vertébrale.

Durant la phase dynamique le tronc se soulève avec appui sur l'abdomen où la pression interne augmente. Pendant la phase statique, le ventre est étiré. Dans les deux cas, tout le contenu viscéral est tonifié. Cette âsana réchauffe le corps.

COLONNE VERTEBRALE

Souplesse = jeunesse.

Cette incomparable âsana rend la colonne vertébrale flexible, gage de santé, de vitalité, de jeunesse. La vie sédentaire rend notre épine dorsale rigide par l'absence de mouvement : en outre, penchés sur notre travail nous créons des cyphoses plus ou moins prononcées contre lesquelles Bhujangâsana lutte efficacement. Si la déviation est importante — cas fréquent — l'adepte aura certes du mal à effectuer la posture, mais qu'il ne se laisse pas rebuter car Bhujangâsana est une véritable bénédiction pour lui. En cas de scoliose vraiment grave, consulter un instructeur compétent car, dans certains cas bien précis, on peut aggraver la situation.

SYSTEME NERVEUX

L'atrophie de la musculature dorsale et vertébrale, si répandue parmi les civilisés, entraîne une foule de conséquences néfastes, notamment à cause de la diminution de l'irrigation sanguine de la moelle épinière qui dépend de la circulation dans les muscles autour des vertèbres. Il est vital que cette musculature travaille chaque jour, ce dont Bhujangâsana se charge efficacement. Il est superflu d'insister sur l'importance de la moelle épinière. Toute l'activité nerveuse passe obligatoirement, à un moment donné, par la colonne vertébrale qui, en outre, est longée par les deux chaînes de ganglions du système nerveux sympathique, dont l'action s'étend à tous les organes. Si ces nerfs, ganglions et autres formations vitales reçoivent l'abondant apport sanguin auquel ils ont droit, toutes les conditions sont réunies pour que l'organisme soit en bonne santé. Par contre, si l'afflux de sang est déficitaire, les organes qui dépendent de ces nerfs ne peuvent, à la longue, maintenir leur intégrité et il en résulte des troubles fonctionnels qui dégénèrent en lésions organiques diverses.

Pendant l'immobilisation, l'afflux de sang dans la région lombaire et sacrée stimule la partie pelvienne du nerf vague (le parasympathique) — antagoniste du sympathique — qui équilibre celle des ganglions orthosympathiques.

GLANDES ENDOCRINES

La glande thyroïde voit son fonctionnement normalisé, s'il s'agit de légères déviations de la norme. Les cas pathologiques (goitres, etc.) doivent être traités médicalement. Bhujangâsana tonifie aussi les capsules surrénales qui sécrètent l'adrénaline, l'hormone du dynamisme. Surrénale saine signifie aussi production normale de cortisone et prémunit contre certaines formes de rhumatisme. Qui plus est, c'est aussi la glande du stress, donc il est important de lui assurer un bon afflux de sang pour normaliser ses fonctions.

TUBE DIGESTIF ET GLANDES ANNEXES

La posture influence favorablement l'ensemble du système digestif par la compression et l'étirement alternatifs de l'abdomen. Bhujangâsana lutte contre la constipation. Durant la phase statique, pendant la respiration profonde, le foie, la vésicule biliaire, la rate et le pancréas sont stimulés, car ils bénéficient d'un massage profond et doux.

L'augmentation de la pression intra-abdominale agit aussi sur les reins : pendant la pose, le sang est exprimé des reins, tandis qu'au retour à la position initiale, ils bénéficient d'un important afflux de sang frais, qui les rince et favorise la diurèse.

CAGE THORACIQUE

L'assouplissement de la colonne vertébrale et notamment la correction des cyphoses, améliore la statique du thorax, lequel s'épanouit.

EFFETS HYGIENIQUES

Cette pose combat la constipation, les troubles utéro-ovariens (aménorrhée, dysménorrhée, leucorrhée) et régularise le cycle menstruel.

Elle soulage ceux qui souffrent de flatulence après les repas.

La vie sédentaire nous immobilise dans des positions anormales. Il en résulte des maux de dos — surtout aux lombaires — rendant la station debout pénible. La pose du Cobra, en faisant travailler la colonne, constitue le meilleur et plus sûr remède. Des cas se sont produits où grâce au Cobra, de petits calculs ont été chassés de la vésicule biliaire par le canal cystique.

Certaines formes de sciatique sont améliorées, voire éliminées par le Cobra, quoique dans certains cas, la pose puisse accentuer les douleurs, par compression du nerf sciatique, en cas de déplacement de vertèbres. La douleur est toujours un signe qu'on va trop loin : si la technique est respectée, cela ne devrait jamais se produire. Si cela arrivait quand même, il suffirait de pratiquer moins fort ou de stopper pour que tout revienne à son état primitif.

EFFETS ESTHETIQUES

Un dos rond est inesthétique autant qu'un dos décharné. Vous n'aurez pas à rougir de vos vertèbres faisant saillie lorsque vous porterez un décolleté ou un deux-pièces, Mesdames, car Bhujangâsana développera la musculature dorsale et habillera ces vertèbres, sans vous donner l'allure d'un lutteur de foire. Une bonne musculature donne un modelé incomparable aux dos féminins... et masculins !

EFFETS PSYCHOLOGIQUES

Le dos courbé, les épaules engoncées, créent un sentiment d'insécurité, d'infériorité. Par contre, une attitude droite, digne d'un être humain, une colonne souple et musclée, vous donnent de l'assurance, non seulement en maillot de bain, mais aussi en vêtements de ville.

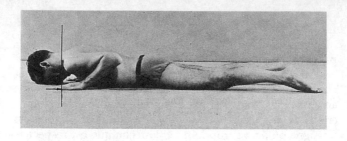

FAUX
Les mains ne sont pas bien placées et les jambes sont écartées.

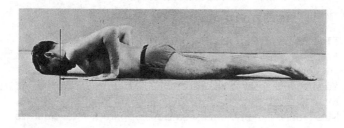

FAUX
Défaut opposé : les mains sont trop derrière la ligne des épaules. Cette position est à déconseiller surtout aux néophytes.

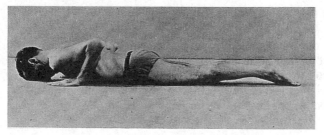

Départ correct. Remarquer la position des mains par rapport aux épaules. Les coudes sont près du corps, les pieds et les genoux sont joints. Le front est au sol. Se relaxer un instant avant de commencer le mouvement.

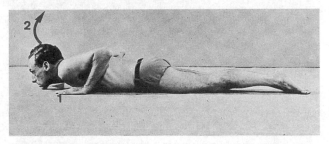

Début de la phase dynamique.
Le menton s'avance le plus loin possible, mais reste au sol. Une légère tension dans la nuque indique que le mouvement est correct.

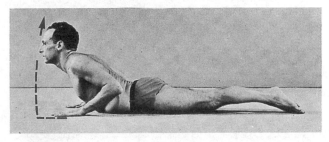

Deuxième partie de la phase dynamique.
Les muscles de la nuque et du dos se tendent, le buste se soulève (TRES lentement).
   Les bras sont passifs ; ils demeurent complètement relaxés. Les jambes restent jointes.

Fin de la phase dynamique.

Toute la musculature du dos est contractée pour lever le tronc le plus haut possible.

Les mains et les bras sont toujours passifs et relaxés. Respirer normalement. La pression intra-abdominale atteint un degré très élevé, le dos rougit fortement. Les jambes demeurent toujours jointes.

REVENIR AU SOL ET RECOMMENCER TROIS FOIS CE MOUVEMENT.

Phase statique.

La phase statique commence dès la fin de ce troisième mouvement. Les bras entrent en action et redressent le tronc le plus possible. Pousser le nombril vers le tapis pour accentuer la courbure lombaire (sauf pour les personnes trop cambrées qui doivent placer la pression entre les omoplates).

Le dos est passif, ainsi que les jambes : de ce fait, les pieds s'écartent un peu l'un de l'autre.

Remarquer la position de la tête.

S'immobiliser et respirer lentement, profondément, de 3 à 10 fois.

Certains yogis préfèrent cette variante qui diffère de la précédente par la position de la tête. Cette variante est plus complète ; elle est déconseillée aux hyperthyroïdiens.

FAUX
Cette photo illustre deux erreurs fréquentes :
— les épaules sont soulevées au lieu d'être fièrement abaissées ;
— le ventre est trop loin du sol. Il faut pousser le nombril le plus près possible
  du tapis.
Ces erreurs privent l'âsana d'une grande partie de son efficacité.

shalabâsana
la sauterelle

C'est à regret que nous traduisons Shalabâsana par « pose
de la Sauterelle » (*shalaba* = sauterelle en sanscrit). En effet, il
est bien dommage que le nom scientifique de cet insecte,
« locuste » qui sonne si agréablement à l'oreille, soit peu usi-
té en français, contrairement à l'anglais ! « Posture de la
Locuste », ne serait-ce pas plus joli que « posture de la
Sauterelle » ?

TECHNIQUE

Shalabâsana comporte plusieurs degrés de difficulté croissante : Ardha-Shalabâsana ou demi-Sauterelle, puis la
Sauterelle complète, enfin l'une ou l'autre variante plus
poussée.

A la différence des postures du Cobra, de la Charrue, de la
Pince etc. Shalabâsana est presque intégralement dynamique, sa phase statique étant nécessairement très brève.

ardha-shalabâsana
La demi-Sauterelle

POSITION DE DEPART

Cette âsana suit et complète la pose du Cobra. La position de départ est presque identique dans les deux cas : l'adepte est donc couché à plat-ventre, les jambes allongées l'une touchant l'autre, la plante des pieds tournée vers le ciel, comme dans le Cobra, mais la position des bras et de la tête change. Les bras se placent le long du corps, les paumes à plat au tapis. Pendant l'exercice, il est fondamental de garder les bras contre le sol, depuis l'épaule jusqu'au bout des doigts.

Poser le menton sur le tapis en le poussant le plus loin possible vers l'avant, ce qui, d'une part, étire le cou, d'autre part, comprime la nuque. Une tranche importante des effets bénéfiques de l'âsana dérive de ce travail dans la nuque. (Cf. « Effets » p. 216).

EXECUTION

Note préliminaire

Cette âsana est fort simple et accessible à tous : il s'agit, en somme, de soulever alternativement une jambe puis l'autre, le plus haut possible... mais pas n'importe comment !...

Au départ, il faut s'imprégner de l'idée que, dans l'Ardha-Shalabâsana, SEULE UNE MOITIE DU CORPS travaille d'abord, l'autre moitié étant relaxée autant que possible. Alterner ensuite. Donc, quand la jambe gauche se soulève, il faut prendre appui sur le bras gauche et ne contracter que les muscles du côté gauche : l'inverse pour soulever la jambe

210

droite.

Pendant Ardha-Shalabâsana, le bassin ne peut ni basculer, ni se soulever notablement.

Exécution

Ceci dit, allons-y ! Soulevez lentement la jambe gauche en contractant progressivement la musculature du bas du dos, avec l'appui du bras gauche, mais le poids des jambes se transmet en bonne partie à l'abdomen, où la pression s'accroît.

Eviter de :
— fléchir la jambe ;
— contracter les mollets ;
— pointer les orteils avec force.

Le pied doit monter perpendiculairement à l'endroit où il était posé. En trichant, c'est-à-dire en faisant basculer le bassin et en prenant appui sur le genou opposé, vous monteriez beaucoup plus haut qu'en pratiquant comme décrit. Retenez toutefois que la hauteur à laquelle les pieds montent est sans importance, l'essentiel étant la CONTRACTION des muscles du bas du dos pour provoquer un afflux abondant de sang frais vers la région lombaire, et compléter ainsi les effets du Cobra. Marquer un arrêt, puis ramener la jambe au sol. Pour se rendre compte combien l'exercice perd en efficacité en le réalisant d'une façon erronée, il suffit, à titre d'expérience, de pratiquer l'âsana des deux façons pour saisir toute la différence. En général, il suffit d'exécuter deux fois successivement l'Ardha-Shalabâsana, c'est-à-dire de soulever d'abord la jambe gauche, puis la droite pour recommencer aussitôt, après quoi on exécute la Sauterelle complète.

sauterelle complète

POSITION DE DÉPART

L'attitude initiale est identique à l'Ardha-Shalabâsana, à un détail près : il faut serrer les poings pour avoir plus de force.

Dans la Sauterelle complète, il s'agit — vous l'avez deviné — de lever les jambes simultanément, par une puissante contraction des muscles du bas du dos.

Evitez avec soin de fléchir les genoux, de durcir les mollets et de pointer les pieds comme une danseuse-étoile.

Plus encore que dans la Demi-Sauterelle, durant tout le mouvement il est indispensable de maintenir les épaules et le menton en contact avec le sol. Au début, tant pis si les épaules se soulèvent : faites de votre mieux pour les rapprocher du sol et, avec un peu de pratique et de patience, vous exécuterez cette âsana impeccablement. Gardez les jambes levées pendant quelques secondes, puis ramenez-les au tapis, sans brusquerie.

Certains yogis tournent les paumes vers le haut : c'est un détail secondaire. Essayez les deux façons et faites votre choix.

VARIANTE 1

Pourquoi les yogis ont-ils baptisé cet exercice « posture de la Sauterelle » alors qu'elle n'évoque guère l'insecte ? La variante 1 nous donne la réponse : les bras repliés rappellent les pattes de l'insecte. Lorsque vous serez bien familiarisé avec l'âsana normale, vous passerez sans difficulté à cette variante. Remarquez que :
— la main n'est pas posée rigoureusement à plat au tapis ; la paume forme une voûte et la poussée se fait en bonne partie avec le bout des doigts ;

— les épaules ne quittent pas le sol.

VARIANTE 2 (pour adeptes avancés)

Quoique à la portée de tous dans ses premiers stades, la phase finale yogique de Shalabâsana est un des exercices les plus « durs » du yoga, qui requiert un dos puissant et une grande souplesse lombaire. Dans sa forme finale Shalabâsana est, à ma connaissance, le seul exercice yogique autorisant et requérant parfois un certain élan.

Position de départ

Elle diffère des précédentes par deux détails :
— le menton n'est pas poussé le plus loin possible vers l'avant, c'est plutôt le nez qui touche le tapis ;
— les doigts sont entrelacés, les bras rapprochés et placés sous le thorax. Sur la photo, cette position particulière des mains et des bras est bien visible.

Prise de l'âsana

Tout le poids du corps repose sur la poitrine et les bras.
Inspirer profondément, bloquer le souffle et, d'une puissante contraction, soulever les jambes jusqu'à la verticale.

RESPIRATION

Nous avons vu qu'il fallait bloquer le souffle mais c'est valable uniquement pour la variante 2.

Dans toutes les autres formes de Shalabâsana, il faut continuer à respirer normalement. C'est plus difficile à réaliser dans la pose de la Sauterelle que dans les autres exercices yogiques : il faut pourtant s'y efforcer et réserver les rétentions de souffle aux adeptes avancés.

CONCENTRATION

L'adepte doit concentrer toute son attention sur les muscles en action, spécialement ceux du bas du dos (région lombaire et lattissimus dorsi).

DUREE

Shalabâsana prend fort peu de temps.

L'Ardha-Shalabâsana comporte un temps d'arrêt de quelques secondes, au moment où les pieds sont au point le plus haut, c'est tout.

Dans la pose complète, un arrêt de deux à cinq secondes dans la position finale suffit en général.

Quant à la variante 2, il est rare d'être à même de tenir plus de dix secondes.

Après Shalabâsana un relax-éclair s'impose. Attendre que le souffle soit redevenu normal avant d'effectuer la posture suivante de votre série.

L'exercice complet peut être répété de 2 à 5 fois.

IMPORTANT

Même les adeptes avancés doivent passer chaque jour par tous les stades de la Sauterelle, donc demi-Sauterelle, Sauterelle complète, éventuellement variante poussée, car chacune prépare la suivante et procure des effets différents.

EFFETS BENEFIQUES

Pour comprendre l'action bénéfique de cette âsana, un bref rappel d'anatomie et de physiologie est indispensable.

Souvenez-vous que toute l'activité organique végétative, donc inconsciente et involontaire, se trouve sous le contrôle du système nerveux autonome, subdivisé en deux réseaux séparés et antagonistes, l'un jouant le rôle d'accélérateur et l'autre de frein. L'équilibre de ces deux actions conditionne le bon fonctionnement de cette machinerie ultra-complexe qu'est l'être humain, donc sa santé et sa longévité.

Il s'agit de :

a) l'ortho-sympathique, qui comporte un double chapelet de ganglions reliés entre eux par des filets nerveux répartis parallèlement à la colonne vertébrale ;

b) le para-sympathique, son antagoniste, comprenant lui-même deux parties :

1° Le pneumogastrique ou nerf vague, relié au bulbe — ce renflement entre l'encéphale et la moelle épinière — et qui émerge de la colonne vertébrale à l'endroit où elle rejoint le crâne. Il innerve notamment le cœur, les poumons, l'estomac et bien d'autres viscères, avant de se perdre dans cet imbroglio nerveux qu'est le plexus solaire.

2° La partie pelvienne du para-sympathique quittant la colonne vertébrale dans la région lombaire pour innerver les organes du bas-ventre, entre autres les organes génitaux.

CES DEUX PARTIES FORMENT UN TOUT fonctionnant harmonieusement. Il est donc indispensable de les stimuler, de les tonifier d'une façon équilibrée.

La Sauterelle est précieuse parce qu'elle tonifie la partie pelvienne du para-sympathique, par l'appel de sang dans le bas de la colonne vertébrale, provoqué par la puissante contraction de la musculature lombaire.

De plus, grâce à la position de la tête et des épaules appliquées au sol durant l'exécution elle agit sur le cou et la nuque, spécialement à l'endroit où le nerf vague quitte la colonne vertébrale. Voilà pourquoi les épaules doivent rester au sol et le menton être poussé le plus loin possible vers l'avant.

En outre, tout ce qui a été dit du Cobra s'applique, à quelques détails près, à la Sauterelle, son complément.

Enfin, par l'augmentation de la pression intra-abdominale, les viscères sont tonifiés.

Les effets détaillés ci-dessous découlent de ce qui précède.

COLONNE VERTEBRALE

Cette position fortifie la colonne vertébrale surtout dans sa partie lombaire, la plus fragile chez l'homme moderne.

MUSCLES

La musculature lombaire est considérablement fortifiée, ce qui est précieux, car le manque d'exercice qu'entraîne la vie sédentaire menace la plupart des civilisés d'une atrophie larvée de cette musculature, ce qui peut occasionner un déplacement de vertèbres, surtout vers la cinquième lombaire, base de tout l'édifice vertébral.

Fortifier la musculature de cette région nous épargne bien des désagréments. Que de lumbagos, de « maux de dos » divers sont causés par une faiblesse musculaire et ligamentaire dans cette région ! Le moindre choc ou faux mouvement peut y provoquer des subluxations aux conséquences aussi variées que désagréables, par exemple, certaines sciatiques. Mentionnons au passage que nos sièges constituent souvent une menace permanente pour cette partie du dos, par la forme inadéquate de l'assiette et du dossier. Un dos souple et bien musclé ne court aucun risque, mais on ne peut pas en dire autant du dos des civilisés. Cette situation est même alarmante au point que, chaque année, un Américain sur sept souffre de maux de dos lesquels sont devenus, aux

U.S.A., la cause n° 1 de pertes de temps dans l'industrie. Le président Kennedy et Elisabeth Taylor en étaient réduits à soutenir leur dos avec des corsets spéciaux. N'est-il pas préférable de fortifier la musculature dorsale ? Les ménagères ne sont pas épargnées et chez elles il faut incriminer la mauvaise attitude au travail, par exemple, repasser à une table trop basse, ou cuisiner sur des fourneaux trop bas. Soulever un poids, même réduit, peut compromettre la statique d'une colonne vertébrale non soutenue par une musculature suffisante. Shalabâsana n'est pas la seule âsana qui la fortifie mais, à coup sûr, c'est une des plus efficaces pour immuniser la colonne vertébrale contre ces accidents.

NERFS

Quant aux nerfs, la Sauterelle recharge en énergie les centres vitaux du système nerveux, spécialement ceux qui commandent le bas-ventre, ainsi que le plexus solaire.

TUBE DIGESTIF

Cet exercice agit puissamment sur les reins, par « massage » interne intense, ce qui favorise la diurèse.

Dans l'ensemble, tout le système digestif et ses annexes sont massés, stimulés, tonifiés.

La Sauterelle amène une amélioration notable du fonctionnement du foie, du pancréas, ainsi que la régularisation des fonctions intestinales, dont le péristaltisme est normalisé.

CIRCULATION SANGUINE

Lever les jambes entraîne d'importants effets sur la circulation sanguine et Shalabâsana complète ainsi les effets des poses inversées. D'abord le sang veineux excédentaire évacue les veines des jambes, ce qui prévient les varices. En outre, le sang artériel doit lutter contre la pesanteur pour atteindre les pieds, donc il irriguera le bas-ventre et la région sacrée où s'accentuera encore l'afflux de sang provoqué par la contraction musculaire.

POUMONS

Chez les adeptes plus avancés, autorisés à bloquer le souffle pendant l'exercice, la pression de l'air croît dans les poumons. Cette âsana fortifie ainsi les poumons car cette pression s'exerce sur la totalité de la membrane pulmonaire, aide les alvéoles à se déplisser et assure une meilleure fixation de l'oxygène.

EFFETS ESTHETIQUES

En corrigeant les défauts de courbure dans le bas de la colonne, la statique de toute la colonne vertébrale est influencée favorablement.

EFFETS OCCULTES

Il est un domaine que nous n'aborderons pas, parce que cela déborde du cadre de cet ouvrage, c'est celui des résultats occultes obtenus par la pratique de cette position, notamment l'éveil de la Kundalini, le dynamisme vital essentiel.

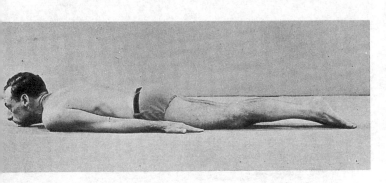

es jambes sont jointes, les épaules touchent le sol. Les paumes sont contre le tapis.
emarquer la position de la tête. Le menton s'avance le plus loin possible.

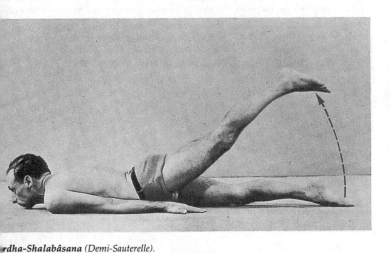

***rdha-Shalabâsana** (Demi-Sauterelle).*
ulever lentement une jambe à la fois. Le travail est fait par les muscles du bas du dos, le bassin
e pivote pas, le genou n'est pas plié, les mollets sont détendus. Continuer à respirer normale-
ent. Répéter deux fois.

Shalabâsana (Sauterelle complète).
La contraction des muscles du bas du dos soulève les jambes. Marquer un temps d'arrêt avant de revenir au sol (1 à 5 sec.). Les poings sont serrés. Respirer normalement. Ni le menton, ni les épaules ne quittent le sol. Les genoux ne sont pas fléchis et restent joints. Peut être répétée de 3 à 5 fois.

Sauterelle complète (Variante 2).
Diffère de l'exercice précédent par la position des bras. La poussée se fait surtout du bout des doigts, la paume formant voûte.
Le menton et les épaules restent au sol durant tout le mouvement.

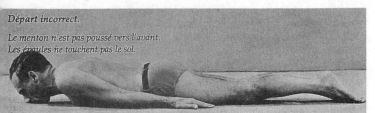

Départ incorrect.

Le menton n'est pas poussé vers l'avant.
Les épaules ne touchent pas le sol.

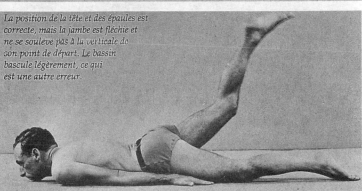

La position de la tête et des épaules est
correcte, mais la jambe est fléchie et
ne se soulève pas à la verticale de
son point de départ. Le bassin
bascule légèrement, ce qui
est une autre erreur.

Accumulation de toutes les erreurs possibles,
ou presque ! La tête est mal posée au sol. Les
épaules sont collées au tapis (correct), mais
la jambe se soulève en s'appuyant surtout
sur le genou opposé. Le bassin quitte le
sol et pivote. Essayez cette façon de
procéder : vous constaterez que cela
ne fait pratiquement aucun effet.

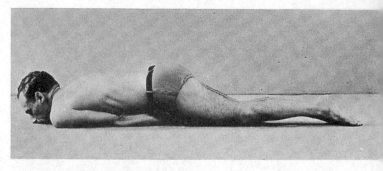

VARIANTE POUSSEE (pour adeptes avancés).

Départ :

Remarquez la position du menton.
Les doigts sont entrelacés, les poignets rapprochés. Leur position exacte est bien visible sur l
photographie ci-dessous.

Exécution
du mouvement :

Inspirer et
bloquer le souffle.
D'une puissante
contraction,
soulever les jambes
et le bassin
pour amener
les jambes
à la verticale.
Les épaules
doivent rester
le plus près possible
du sol.
Exercice assez dur :
à ne tenter
qu'après un long
entraînement à la
Sauterelle normale.

dhanurâsana
l'arc

Dhanurâsana s'appelle la pose de l'Arc, parce qu'elle donne au corps l'aspect d'un arc bandé.

Grand classique du yoga, l'Arc joint une incomparable efficacité à une simplicité qui n'est pas synonyme de facilité : pour le néophyte, c'est même une des âsanas les plus rétives qu'il considère souvent comme un exercice « dur », à dompter par la force et la violence, ce qui est une erreur. Car il est non seulement possible, mais indispensable de le pratiquer sans effort.

Dhanurâsana étant une combinaison du Cobra et le la Sauterelle, on pourrait se demander si elles ne font pas double emploi. Il n'en est rien, car Dhanurâsana complète les deux premières et en diffère totalement parce que dans la pratique du Cobra et de la Sauterelle, les muscles du dos sont ACTIFS, tandis que, dans l'Arc, ils sont PASSIFS. Dhanurâsana comprend une deuxième phase, peu connue et rarement enseignée en Occident, qui mérite pourtant d'être apprise et dont l'exécution n'allonge la séance que de quelques secondes.

POSITION DE DEPART

Dhanurâsana s'exécute après la Sauterelle. L'adepte est couché à plat ventre, les bras le long du corps.

La position de la tête et l'orientation des paumes importent peu. Relaxez surtout le dos, dont la décontraction totale conditionne la réussite de l'exercice.

PRISE DE L'ASANA

Premier temps

Soulevez le menton tandis que les mains saisissent simultanément les chevilles. Les débutants peuvent prendre d'abord la cheville droite, la gauche ensuite. La photo **A** montre la position exacte des mains et des doigts ; observez celle du pouce, qui ne s'oppose pas aux autres doigts.

Deuxième temps

Précisons d'abord que les jambes sont LE SEUL élément moteur pendant l'exécution de Dhanurâsana. Même les bras restent passifs : à la manière d'un câble ils se contentent de relier les épaules aux chevilles que les doigts enserrent avec juste assez de force pour ne pas lâcher prise.

Pour exécuter l'âsana, il faut propulser les pieds vers l'arrière et vers le haut par une contraction puissante des cuisses et des mollets, ce qui soulève les épaules et courbe le dos. Donc, pendant tout l'exercice, il faut rester relaxé, à l'exception des jambes et des mains : contracter le dos, par exemple, rend l'âsana impossible.

Au début, souvent les genoux restent désespérément collés au sol et, s'ils se soulèvent quand même un peu, c'est au prix de douleurs dans les muscles des cuisses ! Patience ! Dans l'attitude finale, les genoux doivent monter plus haut que le plan du menton. En fait, le pli du genou devrait arriver au niveau du sommet du crâne (position A), et non dans la position B où les genoux n'arrivent qu'au niveau du menton. Dans ce dernier cas, le corps pèse en partie sur les épines iliaques, ce qui réduit beaucoup l'efficacité de l'âsana. Dans la position A, où les genoux dépassent le niveau du menton, le pubis ne touche plus le sol et le poids du corps porte sur l'épigastre, ce qui accroît notablement la pression intra-abdominale et donne un maximum d'efficacité puisque cette pression se transmet intégralement aux viscères de l'abdomen.

PHASE DYNAMIQUE : LES BALANCEMENTS

La phase dynamique commence aussitôt que l'âsana est prise et comporte des balancements à la façon d'un cheval à bascule ou d'un rocking-chair ; léger au début, ce balancement se limite à l'abdomen puis s'accentue peu à peu jusqu'à ce que, partant de la poitrine et passant par le ventre, il s'achève quand les cuisses touchent le sol : il constitue — on

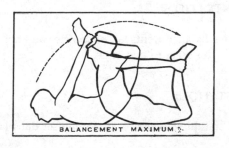

BALANCEMENT MAXIMUM

225

s'en doute ! — un massage abdominal fort efficace. Faut-il préciser que, pendant ce balancement, il est impossible de garder le dos complètement relaxé ?

DUREE DE LA PHASE DYNAMIQUE

Sa durée dépend, bien sûr, des possibilités individuelles : il ne faut pas aller jusqu'à l'essoufflement et de 4 à 12 balancements suffisent en général. Pour rendre cette phase moins pénible, on peut répartir les balancements en deux ou trois fois en revenant à la position de départ pour se relaxer et souffler.

RESPIRATION DURANT LA PHASE DYNAMIQUE

Quant à la respiration durant la phase dynamique, trois alternatives s'offrent :
a) inspirer quand la tête se soulève, expirer quand elle descend ;
b) tout simplement respirer normalement ;
c) retenir le souffle à poumons pleins : cette façon est réservée aux adeptes avancés.

CONCENTRATION

Pendant les balancements, se concentrer au choix, sur les muscles du dos ou sur l'abdomen.

PHASE STATIQUE

La phase statique consiste à s'immobiliser dans la posture

complète, sans forcer, avant ou après la phase dynamique : essayez les deux formules et adoptez la plus confortable.

RESPIRATION ET DUREE

Pendant la phase statique, respirez normalement. Les adeptes entraînés feront de profondes inspirations suivies d'une rétention de souffle, tout en restant dans les limites du confort, ce qui accentue les effets en augmentant encore la pression intra-abdominale. Quant à la durée, 5 à 10 respirations constituent la moyenne. Dhirendra Bramachari, gourou de feu M. Nehru, répète : « Hold as long as you can » c'est-à-dire « Tenez aussi longtemps que possible » (sous-entendu, dans les limites du confort).

CONCENTRATION

Si l'adepte s'est concentré sur le massage abdominal pendant les balancements, il portera maintenant son attention vers le dos pour le relaxer à fond.

RETOUR AU SOL

Réduire la poussée des jambes et revenir lentement à la position de départ. Se relaxer et attendre que le souffle se soit normalisé avant de passer à l'exercice suivant.

QUELQUES DETAILS COMPLEMENTAIRES

Position des genoux

Pendant l'exécution de Dhanurâsana, on peut écarter les genoux, ce qui facilite l'exercice sans réduire son efficacité, à condition toutefois que les gros orteils se touchent du début à la fin de l'exercice, sinon les pieds se placent presque toujours à un niveau différent à cause des légères déviations que présente toute colonne vertébrale. Réunir les gros orteils oblige à travailler dans l'axe idéal de la colonne vertébrale et corrige les défauts dans la statique de l'épine dorsale.

Position du menton

J'ai déjà précisé la position respective du menton et des genoux, mais la distance menton-sol a son importance aussi ; il faut soulever le menton le moins possible, afin de placer le poids du corps sur l'épigastre.

EFFETS BENEFIQUES

L'Arc combinant le Cobra et la Sauterelle, en cumule les effets (revoir la description des bienfaits de ces deux âsanas) en y ajoutant les siens propres, dus à l'augmentation de la pression intra-abdominale qui tonifie tous les viscères, surtout si l'exercice s'accompagne d'une respiration profonde, car le diaphragme masse puissamment tous les organes.

COLONNE VERTEBRALE

Comme dans le Cobra et la Sauterelle, la compression de la face dorsale du rachis accompagne l'étirement de la face antérieure, ce qui agit sur les ligaments, les muscles et les centres nerveux de la colonne vertébrale. L'Arc prévient la calcification prématurée des articulations vertébrales et redresse ces dos arrondis par des années d'attitude penchée sur les pupitres, bureaux ou tables de travail.

MUSCLES

Au début, cet exercice endolorit les cuisses et, s'il est vrai qu'un yoga qui fait mal est un yoga mal fait, dans ce cas-ci, cette douleur musculaire est anodine ; d'ailleurs la pratique l'atténue et l'élimine bientôt.

L'étirement de la sangle abdominale facilite Uddiyana Bandha, la rétraction abdominale (cf. p. 279).

L'euphorie et la sensation de « libération » consécutives à cette âsana proviennent de la stimulation des centres nerveux de la colonne vertébrale, surtout du système nerveux sympathique dont la chaîne de ganglions longe la colonne vertébrale.

Citons aussi les effets puissants sur le plexus solaire, ce complexe nerveux situé au creux de l'estomac, zone des « coups bas » redoutés des boxeurs. Le balancement le masse et le stimule avec efficacité.

Nous savons que l'anxiété s'accompagne d'une sensation désagréable au creux de l'estomac, due à la congestion de la zone solaire, ce qui influence négativement les fonctions végétatives et cause bien des troubles fonctionnels réfractaires aux thérapeutiques courantes. Le balancement et l'étirement de la musculature abdominale, s'ajoutant au massage résultant de la respiration profonde et diaphragmatique, dissipent ces manifestations.

CELLULITE ET EMBONPOINT

Dhanurâsana combat la cellulite, qui résulte en général d'une :

* respiration insuffisante ;
* tension nerveuse généralisée ;
* mauvaise assimilation de la nourriture ;

- circulation réduite dans les placards cellulitiques.

La pose de l'Arc agit en :

- amplifiant la respiration ;
- décongestionnant le plexus solaire ;
- agissant sur le système digestif ;
- améliorant la circulation dans les masses de cellulite ou de graisse par un massage doux et régulier.

GLANDES ENDOCRINES

L'Arc agit sur les capsules surrénales ; la sécrétion accrue d'adrénaline dynamise les personnes manquant d'entrain, sans devoir redouter un hyperfonctionnement. La sécrétion de cortisone est régularisée, ce qui combat diverses formes de rhumatisme. La cortisone autogène ne présente pas les inconvénients de l'hétérogène, administrée en injections dans le traitement de certaines maladies.

Le pancréas voit son fonctionnement normalisé et fabrique l'insuline indispensable au métabolisme des glucides.

Des cas de faux diabète engendrés par l'anxiété (on constate, par exemple, une glucosurie temporaire chez des soldats au front et des étudiants en période d'examens), s'éliminent radicalement en peu de temps, par la décongestion du plexus solaire et la normalisation des fonctions du pancréas, dues à la pratique de l'Arc.

Swâmi Sivananda signale en outre une action sur la thyroïde.

TUBE DIGESTIF ET GLANDES ANNEXES

L'augmentation de la pression intra-abdominale agit globalement sur le système digestif et ses glandes annexes.

Dhanurâsana décongestionne le foie, massé particulièrement pendant la respiration profonde, et accentue la circulation sanguine dans tout le système digestif, donc il faut éviter de le pratiquer avec l'estomac chargé. L'Arc combat la constipation en activant le péristaltisme intestinal.

Les reins, bien irrigués, retirent beaucoup de bénéfices de la pratique de Dhanurâsana et éliminent mieux les toxines.

Position de départ :
Les mains saisissent simultanément les chevilles : remarquer la position des doigts. Le menton quitte le sol, les genoux sont écartés mais les orteils se touchent ! Respirer normalement.

Prise de la position :
Propulser les pieds vers l'arrière et VERS LE HAUT. Les genoux se soulèvent plus haut que le menton, voire même que le sommet du crâne, donc le pubis quitte le sol. Le poids du corps repose sur l'épigastre. Les bras sont détendus : ils ne font qu'assurer la liaison entre les chevilles et les épaules, c'est tout ; ils ne fléchissent donc pas.

Le dos est passif, le visage non crispé. Les genoux sont écartés, mais les GROS ORTEILS SONT JOINTS. Respirer profondément pour accentuer le massage intra-abdominal.

232

Cette position n'est pas réellement incorrecte. Elle diffère de la précédente par le point d'application du poids du corps. Le menton étant soulevé plus haut que les genoux, le pubis ne se soulève pas : les os du bassin supportent une partie du poids du corps. La pression intra-abdominale est donc moindre que dans l'âsana représentée sur la photo précédente. Les femmes enceintes pourront la pratiquer.

FAUX

Les erreurs suivantes sont illustrées par cette photo :
- *les pieds sont saisis trop haut ;*
- *les orteils ne se touchent pas ;*
- *les bras travaillent au lieu d'être relâchés ;*
- *le dos est contracté.*

Conséquences : courbure insuffisante du dos, efforts violents, maigres résultats.

PHASE COMPLEMENTAIRE

à effectuer APRES la pose de l'Arc

Position initiale :

Les mains saisissent les orteils. Les talons sont appliqués contre les fesses : ils le resteront durant tout l'exercice. Le menton touche le sol et demeurera contre le tapis durant tout l'exercice. Les bras se préparent à l'action. Les jambes sont RELACHEES.

Position finale :

Par une traction des bras et des muscles du dos, aidés par une poussée de la sangle abdominale, les genoux et le pubis quittent le sol. Les talons restent en contact avec les fesses et le menton demeure au tapis. Respiration normale. Jambes relâchées et passives : les bras sont l'élément moteur principal. Dans cet exercice les muscles relâchés dans l'Arc classique sont contractés et vice versa. C'est en quelque sorte la contre-pose de l'Arc.

ardha matsyendrâsana

Cette âsana, sans doute la plus plastique et la plus esthétique, est une des seules à porter le nom du yogi l'ayant inventée, le grand Rishi Matsyendra. Toutefois, comme la pose complète originale est très difficile et n'est accessible qu'aux yogis accomplis, on n'enseigne que la demi *(ardha)* posture. Nous utiliserons son nom sanscrit, bien qu'il arrive de rencontrer les désignations: « pose de la torsion », « posture tordue », ou encore « posture de la spirale ».

GENERALITES

Tandis que les autres âsanas plient la colonne vertébrale, Ardha-Matsyendrâsana la TORD sur toute sa longueur.

Cette âsana doit figurer dans toute série d'âsana ; elle clôture la succession des flexions vers l'avant et vers l'arrière.

Dès le départ, elle se singularise, car elle se prend à partir de la position assise et non couchée et ne comporte pas de phase dynamique.

TECHNIQUE

Exécuter cette âsana est — heureusement ! — plus commode que la décrire.

VARIANTE PREPARATOIRE

Nous suggérons aux néophytes de pratiquer d'abord la variante préparatoire accessible à tous et qui procure les mêmes bienfaits que l'âsana complète. La voici.

Position de départ

Assis au sol, jambes étendues devant soi, pieds joints. Replier la jambe DROITE (détail important !) et placer le pied droit contre la face extérieure du genou gauche, la malléole externe — la protubérance osseuse de la cheville — touchant le pli du genou. Le pied se pose à plat au sol, parallèle à la jambe gauche.

Prise de la variante préparatoire

Ensuite, placer le bras gauche contre le genou de la jambe droite repliée. Normalement, c'est l'aisselle qui devrait se poser sur le genou, mais ce n'est pas toujours possible au début.

PRISE DE L'ASANA

Le bras servant de levier, ramener la main gauche vers la

jambe gauche étendue et essayer de toucher le tibia, voire même de saisir le pied droit. La torsion de la colonne vertébrale s'accentue par une poussée du bras droit, placé derrière le dos, la main prenant appui au sol. La torsion part du sacrum pour gagner de proche en proche toute la colonne, y compris la nuque ; par une rotation de la tête.

Revenir lentement à la position de départ en sens inverse, et pratiquer la pose de l'autre côté, donc en repliant la jambe gauche.

Pendant la torsion, la ligne des épaules demeure, autant que possible, parallèle au sol.

POSITION CLASSIQUE

Après peu de temps, l'adepte passera sans difficulté à la pose classique, qui ne diffère de la position préparatoire que par les détails suivants :
— la jambe qui restait étendue se replie afin de placer le talon contre la cuisse ;
— le bras qui s'appuyait au sol derrière le dos enlace la taille et la main cherche à toucher la cuisse.

Dans l'attitude finale, bien redresser le dos pour accentuer la torsion.

IMPORTANT !

Pendant toute l'âsana le dos reste PASSIF : les bras font pivoter les épaules et la colonne se tord sans résistance. Ne pas basculer le bassin : il faut rester assis sur les deux fesses pendant tout l'exercice.

La rotation, lente et progressive, s'effectue sur l'expiration. La tête pivote en dernier lieu et reste bien droite, le menton assez haut.

Retenir que

- le talon de la jambe repliée touche le périnée, tandis que le genou reste au sol ;
- les deux fesses touchent le tapis ;
- la ligne des épaules est horizontale ;
- les doigts saisissent le pied sous l'arcade plantaire ;
- le genou est presque sous l'aisselle ;
- la main du bras qui enlace la taille s'avance vers l'aine et touche la cuisse ;
- la tête est droite et le regard tourné le plus loin possible derrière soi.

J'ai insisté sur l'obligation de replier d'abord la jambe DROITE, donc de caler la cuisse droite contre l'abdomen pour comprimer le côlon. Dans la description des effets bénéfiques de cette âsana, vous lirez qu'elle augmente le péristaltisme intestinal et combat la constipation, ce « mal du siècle ». C'est pour agir dans le sens du péristaltisme qu'il faut d'abord comprimer le côté droit de l'abdomen.

CONCENTRATION

Se concentrer sur la relaxation de la musculature de la colonne vertébrale et suivre mentalement la progression de la torsion, du sacrum au crâne.

DUREE ET RESPIRATION

Intégrée dans une série d'âsanas, cette posture n'est généralement pas répétée. L'immobilisation dure de 5 à 10 respirations de chaque côté, aussi amples que possible afin d'intensifier le massage des viscères abdominaux comprimés par la cuisse.

Seuls les adeptes avancés peuvent retenir le souffle à poumons pleins pendant le maintien de la posture.

Comme toute pose yogique, Ardha-Matsyendrâsana peut aussi se pratiquer isolée, en endurance, pour en extraire au maximum les bienfaits qu'elle procure.

Il faut alors la maintenir le plus longtemps possible rigoureusement immobile, sans toutefois dépasser 3 minutes par côté, soit 6 minutes en tout en se relaxant dans la posture.

EFFETS BENEFIQUES

Les bénéfices de l'âsana découlent de
a) la torsion de la colonne vertébrale ;
b) la compression alternative d'une moitié de l'abdomen.

COLONNE VERTÉBRALE

a) Muscles et ligaments

La torsion étire et allonge tous les muscles et ligaments de la colonne vertébrale où se produit un généreux afflux de sang : le dos rougit. Ardha-Matsyendrâsana remet la musculature de la colonne vertébrale en état, prévient ou efface les courbatures, engendre une sensation de bien-être immédiate.

b) Nerfs

Si nous considérons l'importance de la colonne vertébrale traversée par la moelle épinière et longée par la chaîne des ganglions sympathiques, nous saisissons aussitôt que cette âsana tonifie tout l'organisme et pourquoi les yogis la considèrent comme un « rajeunissant » puissant.

c) Colonne vertébrale

Voici ce qu'en dit Kernéiz :

« L'objet principal de cette âsana est d'éviter la sacralisation de la cinquième lombaire, c'est-à-dire d'éviter sa soudure avec le sacrum, ou d'y remédier lorsqu'elle commence à s'installer. Cette immobilisation est si fréquente que ceux qui en sont atteints la considèrent généralement comme toute normale et la laissent se développer, sans même y prendre garde, jusqu'à ce qu'elle prenne l'acuité d'une infirmité, caractéristique de la vieillesse. Il est rare, de nos jours, de conserver une faculté de marche normale passé la cinquantaine, faute d'avoir entretenu la souplesse lombaire. L'hypercontraction qui résulte de ces ankyloses gagne insidieusement le domaine psychique et détermine cette humeur chagrine et grincheuse qui est une des caractéristiques des vieillards. »

d) Glandes endocrines

Ardha-Matsyendrâsana exerce une influence bénéfique sur les surrénales.

ABDOMEN

Ardha-Matsyendrâsana tonifie tous les viscères en comprimant alternativement chaque moitié du ventre. Le côlon est intéressé en premier lieu par l'âsana ; il voit son péristaltisme accentué. Répétons qu'il faut toujours commencer en pressant le COTE DROIT DU VENTRE pour agir dans le sens du péristaltisme. Cette âsana combat donc la constipation. Outre le gros intestin, le foie et le rein droit sont stimulés durant la première moitié de l'exercice, la rate, le pancréas et le rein gauche dans la seconde partie de l'exercice.

EFFETS HYGIENIQUES

Les effets hygiéniques dérivent de ce qui précède. Ardha-Matsyendrâsana :

- tonifie le système nerveux sympathique et revitalise l'organisme ;
- corrige les déviations de la colonne vertébrale ;
- prévient les lumbagos et « tours de reins », et même certaines formes de sciatique ;
- favorise la diurèse en stimulant les reins, surrénales incluses ;
- combat la constipation, stimule et décongestionne le foie et tout le tube digestif ;
- lutte contre l'obésité et la cellulite au ventre.

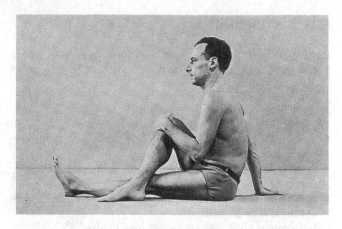

En position assise, replier d'abord la jambe DROITE et placer le pied droit contre la face extérieure du genou gauche.

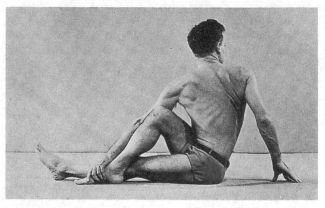

Le bras gauche, appuyé contre le genou droit, fait office de levier pour tordre la colonne tandis que la main gauche saisit soit le tibia, soit le pied droit. Le bras droit accentue la torsion. Faire pivoter la tête vers l'arrière.

Un détail est INCORRECT : la malléole externe n'est pas placée exactement contre le pli du genou. Le pied étant placé trop en avant, la ligne des épaules n'est pas parallèle au sol.

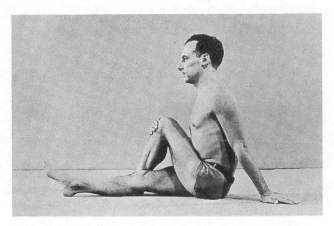

Même départ, mais avec la jambe GAUCHE repliée.

Attitude finale de la variante pour débutants.

243

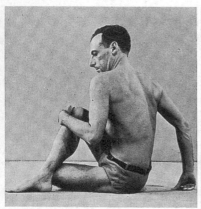

Départ de l'Ardha-Matsyendrâsana, mais vu de l'autre côté. Le genou doit toucher le sol.

Départ de l'Ardha-Matsyendrâsana classique la jambe gauche est repliée et le talon s'appliq contre le périnée.

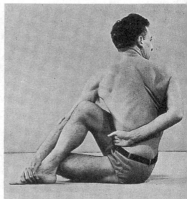

La même, vue de face.

Pose finale : vue de dos, montrant la position a bras droit et de la main qui doit toucher la cuiss ainsi que la façon correcte de saisir le pied.

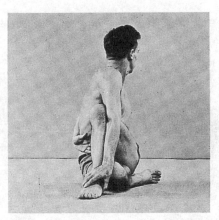

Vue de profil, montrant le pied posé à plat au sol et parallèle à la jambe ramenée contre le corps. Le genou touche le sol. Se redresser le plus possible, afin de se « dévisser » au maximum.

Pose finale de l'Ardha-Matsyendrâsana classique, incontestablement esthétique.

Kapâlâsana   Shirshâsana

il y a pose sur la tête...
et pose sur la tête

shirsâsana
et kapâlâsana

Dans la littérature yogique, la pose sur la tête porte différents noms entre autres Shirsâsana (la plus courante) et Kapâlâsana.

Nous appellerons « Shirsâsana » la posture classique représentée par la photo ci-contre et décrite plus loin, tandis que Kapâlâsana (du sanscrit *kapâla* = crâne) (ci-contre) correspond au « trépied », pose plus accessible aux débutants.

TECHNIQUE

Au moment de commencer l'apprentissage de Kapâlâsana, persuadez-vous qu'il ne s'agit ni d'une acrobatie, ni d'un tour de force. Le plus ardu consiste à prendre la position de départ correcte et à s'y maintenir durant quelques secondes au début, puis augmenter progressivement, notamment pour fortifier le cou et la nuque et habituer le cerveau à rece-

247

voir un afflux de sang accru.

Notez que la position préparatoire procure déjà — quoique atténués — tous les effets de Shirsâsana.

Veillez à placer correctement la tête et les mains au sol. Si vous travaillez sur un sol dur, utilisez une couverture pliée en quatre, non un coussin qui serait trop épais et trop mou, donc instable et à déconseiller.

Kapâlâsana n'est guère pratiquée en Inde, la pose classique étant Shisâsana. Kapâlâsana doit être considérée en tant que position d'approche, d'apprentissage à la pose sur la tête classique. Les yogis ont l'habitude de tenir la pose sur la tête pendant de très longues périodes — pour eux, une demi heure est un minimum — et Kapâlâsana ne convient pas parce que dans cette posture tout le poids du corps repose sur les cervicales, ce qui fait qu'on ne peut pas la tenir pendant longtemps.

Pour nous, Occidentaux, son rôle est de nous habituer à « voir le monde à l'envers », à contrôler notre équilibre en position sur la tête et à nous apprendre à « monter » correctement vers la position sur la tête en pointant d'abord les genoux. Mais, dès que possible, il s'agit de passer à l'exécution classique, dont le départ est peut-être un peu plus ardu, mais qui est vraiment supérieure à tous points de vue à Kapâlâsana.

shirsâsana
la pose sur la tête

Shirsâsana, la pose sur la tête est, sans doute, la plus célèbre de toutes les postures yogiques, au point que, pour le public, « yoga » et « se mettre sur la tête » sont presque synonymes. Doit-elle sa renommée à son caractère insolite, ou à ce que les yogis la considèrent comme la reine des âsanas ? Qu'importe !

Pour les non-adeptes du yoga, il paraît insensé de se mettre sur la tête : « Pensez donc, risquer de se rompre le cou ! Et n'est-ce pas mauvais d'avoir le sang à la tête ? ». Quant aux néophytes occidentaux, surtout les moins jeunes, ils se sentent à la fois attirés par le caractère spectaculaire et les effets bénéfiques de Shirsâsana, et effrayés par le côté acrobatique non exempt de danger, croient-ils.

Nous estimons que, s'il fallait ne pratiquer qu'une seule âsana, Shirsâsana serait celle-là.

Pourquoi donc faut-il se mettre sur la tête, alors que nous avons eu tant de peine à apprendre à nous tenir en équilibre sur nos pieds et que nos premiers pas ont marqué un grand jour dans notre existence ?

La station debout est le propre de l'homme, son apanage exclusif, fatal, car, en définitive c'est elle qui a FAIT l'être humain. En quittant le sol, les pattes de devant sont devenues des mains, véritables prolongements du cerveau. Libérée, capable de saisir des objets, la main est devenue un instrument créateur, en fait le seul dont l'homme dispose pour matérialiser sa pensée. Cette activité créatrice, à son tour, a forcé l'homme à se servir de son cerveau pour résoudre ses problèmes et c'est ainsi qu'au cours de son évolution, la main et le cerveau se sont développés parallèlement et mutuellement. Dans la perspective de l'évolution, la station debout est une acquisition récente, une adaptation encore imparfaite, notamment aux points de vue colonne vertébrale et circulation sanguine.

Chez les quadrupèdes (chien ou cheval, par exemple) la masse du corps restant parallèle au sol, la pesanteur agit uniformément sur elle et comme la circulation s'effectue à l'horizontale, son influence est négligeable. Chez l'homme, par contre, le circuit est vertical et la gravitation y joue un rôle primordial.

En dessous du niveau du cœur, c'est surtout la circulation veineuse qui en est affectée. En effet, pour remonter au cœur et aux poumons, le sang veineux doit vaincre la pesanteur, grâce notamment aux contractions musculaires qui, en comprimant les veines, le refoulent vers le cœur, les valvules faisant office de soupapes à sens unique, empêchant tout reflux vers l'arrière. Cette solution est satisfaisante chez l'homme naturel qui, pour subsister, doit se dépenser musculairement, mais chez le civilisé sédentaire les contractions musculaires sont insuffisantes pour assurer à la circulation veineuse sa vitesse normale, d'où il résulte une accumulation de sang veineux dans les jambes, mais surtout dans l'abdomen où le sang stagne dans les viscères, ce qui altère leur bon fonctionnement. Toujours chez l'homme naturel, les mouvements respiratoires amples y provoquent, grâce aux mouvements de piston du diaphragme, un brassage sanguin et une puissante aspiration de sang veineux dans les poumons qui, tels des éponges, se gorgent à chaque inspiration non seulement d'air mais aussi de sang. Plus l'inspiration est profonde, plus il entre de sang dans les poumons. Respiration et circulation fonctionnent donc en étroite corrélation.

Ce rôle de pompe aspirante joué par les poumons sur la circulation veineuse est très insuffisant chez le sédentaire qui respire superficiellement.

Dans les parties du corps situées au-dessus du cœur, le retour du sang veineux est facilité par la pesanteur mais, par contre, la circulation artérielle est freinée, vers le cerveau notamment, ce qui est d'autant plus néfaste pour le civilisé devenu presque un cérébral pur, dont le cerveau, grand consommateur d'oxygène, aurait besoin d'un afflux de sang supplémentaire !

Les inconvénients de la station debout ne se limitent pas à la circulation. Chez l'animal, les organes abdominaux restent en place et ne se ptosent pas. Chez l'homme la position verticale est à l'origine des « reins flottants », estomacs ptosés, intestins descendus etc., source de désordres fonctionnels plus ou moins graves.

Voilà pourquoi les yogis, en toute logique, préconisent la pose sur la tête pour éliminer les inconvénients de la station debout.

LES EFFETS DE LA POSE SUR LA TETE

Les effets de la Reine des Asanas sont si nombreux et variés, que je n'aurai pas l'ambition de les décrire tous. Nous examinerons ensemble les principaux, sans nous noyer dans les détails, l'essentiel étant de savoir où et comment ils se produisent.

SQUELETTE

Considérons d'abord ses effets sur la statique de la colonne vertébrale. Dans les pays où les femmes vont quérir l'eau dans de lourdes jarres qu'elles portent sur la tête, on remarque que leur colonne vertébrale est parfaite et leur démarche élégante et souple. Porter un fardeau en équilibre sur la tête, implique une certaine position du crâne et de la nuque, qui se répercute dans toute la colonne vertébrale.

Dans les écoles de mannequins, pour acquérir une allure gracieuse, les jeunes femmes s'exercent à marcher d'abord avec un seul livre sur la tête, puis avec plusieurs.

Shirsâsana produit automatiquement ces effets, accentués puisque c'est tout le poids du corps qui repose sur le crâne.

Son action s'étend aussi au bas de la colonne, surtout à l'articulation de la cinquième vertèbre lombaire et du sacrum, sur lequel repose tout l'édifice du squelette et s'empilent les vertèbres. En position debout, la cinquième lombaire supporte ainsi tout le poids du corps humain, les jambes exceptées. Elle est donc soumise à une pression maximum et son disque est particulièrement vulnérable. Imaginez à quelle épreuve il est soumis pendant la course ou l'équitation, par exemple ! Chez le quadrupède, le sacrum sert surtout d'attache au bassin en liaison avec la colonne vertébrale ; il ne supporte aucun poids.

En Shirsâsana, les vertèbres lombaires ne supportent plus que le poids des jambes et du bassin. Quand la pose sur la tête est pratiquée en équilibre parfait, automatiquement les vertèbres lombaires se placent dans la position normale, la plus favorable. Voilà pourquoi Shirsâsana dissipe en quelques instants ces « maux de reins » dûs à la station debout prolongée.

Les cervicales, il est vrai, reçoivent tout le poids du corps, ce qui ne fait courir aucun risque à une nuque normale surtout tassée en position de défense, c'est-à-dire rentrée dans les épaules : lorsque l'on vous surprend par derrière, en vous saisissant brusquement à la nuque, comme les enfants s'amusent à le faire entre eux, on place instinctivement la tête dans cette position de moindre vulnérabilité.

CIRCULATION

Mais, c'est sur la circulation que la pose sur la tête produit ses effets les plus importants. Nous savons que la station verticale favorise la stase veineuse dans les parties du corps situées au-dessous du niveau du cœur en raison du freinage de la pesanteur sur la circulation de retour, tandis qu'au-dessus du cœur, par contre, c'est l'afflux du sang artériel qui est freiné.

Shirsâsana inverse la situation : le sang veineux, aidé cette fois par la pesanteur, évacue instantanément les veines des jambes, tandis que les stases sanguines dans les organes abdominaux sont éliminées. Des masses de sang veineux sont ainsi recyclées et voient leur retour au cœur accéléré. Or, le volume du sang artériel circulant dépend de la circulation veineuse de retour, puisque le cœur est une pompe foulante alimentée en sang purifié et oxygéné par les poumons. En accélérant le retour du sang veineux, les poumons reçoivent plus de sang chargé de toxines à purifier, donc la pose sur la tête, accompagnée de respirations profondes, décrasse l'organisme, sans fatiguer le cœur qui bat avec calme et puissance.

Le sang artériel afflue en abondance et sous légère pression dans le cerveau, tandis que, dans la station debout, il doit vaincre la pesanteur pour l'atteindre. (Cf. « Effets sur le cerveau », p. 258).

Les veines des jambes se reposent même beaucoup mieux que dans la position couchée. Shirsâsana prévient les varices et les hémorroïdes ; si vous y êtes prédisposé, elle contribuera à empêcher toute aggravation, voire à les éliminer progressivement. Dans ce cas, il est bon de compléter son action par des aspersions d'eau froide aux endroits touchés, en complément à la thérapeutique prescrite par votre médecin.

ABDOMEN

L'abdomen est l'usine, le chantier de construction de l'organisme : la zone comprise entre le diaphragme et le bassin est vitale.

Outre une remise en circulation du sang stagnant dans les organes abdominaux, Shirsâsana décongestionne les viscères du bas-ventre où la position assise prolongée crée une congestion quasi permanente. Notons en passant que les troubles prostatiques qui torturent tant d'hommes après la cinquantaine, sont aggravés, sinon causés, par cette congestion. Sur la tête, la prostate est libérée ce qui procure un soulagement immédiat.

Les organes génitaux sont également décongestionnés. Les viscères ptosés (reins, estomac, intestins), reprennent leur place et leur forme normales, par une pratique systématique et un entraînement progressif qui permet d'atteindre les durées curatives (de l'ordre de 3 fois 5 minutes, soit donc au total un quart d'heure par jour, en moyenne).

Un des principaux bénéficiaires de Shirsâsana est le système digestif avec ses glandes annexes, notamment le foie qui souffre de congestion larvée chez tant de sédentaires ! Souvenons-nous que tout le sang veineux provenant du système digestif traverse le foie : nous saisirons aussitôt l'importance d'éviter toute congestion hépatique. Ici aussi la circulation veineuse conditionne la circulation artérielle, ET

NON L'INVERSE. Drainer le sang veineux du système digestif entraîne ensuite un afflux de sang artériel, d'où l'amélioration des fonctions digestives.

Pendant la pose sur la tête, le foie bénéficie d'un massage efficace ; étant très compressible, il s'aplatit littéralement sous la pression du diaphragme, cette paroi mi-cartilagineuse, mi-musculaire qui sépare les organes abdominaux de la cavité thoracique. En position debout ou assis, pendant les respirations profondes, le va-et-vient du diaphragme masse le foie. Ce massage devient beaucoup plus puissant et efficace pendant la pose sur la tête car, à l'inspiration, le diaphragme s'aplatit et repousse le foie et toute la masse viscérale qui pèse alors sur lui. Quoique plus discrète que le foie, la rate elle aussi est souvent congestionnée et bénéficie du même massage.

LES POUMONS

La pose sur la tête modifie radicalement la façon de respirer. En position assise ou debout, les poumons sont logés à l'étage supérieur qui devient l'étage inférieur dans la position inversée. J'ai précisé que les organes abdominaux font alors pression sur le diaphragme : l'air enfermé dans les poumons, pendant les éventuels temps de rétention du souffle, se trouve donc sous légère pression, ce qui déplisse harmonieusement les alvéoles pulmonaires et favorise le passage de l'oxygène à travers la membrane pulmonaire, sans gêner pour autant l'évacuation du CO_2, qui, grâce à ses propriétés physiques, s'échappe très facilement.

Shirsâsana agit surtout pendant l'expiration, phase capitale de l'acte respiratoire. Une expiration incomplète implique la stagnation permanente d'air résiduel vicié, toxique, dans les poumons, donc réduit la quantité d'air qu'il est possible d'inspirer car on ne peut remplir un récipient que dans la mesure où on l'a d'abord vidé ! Combien de pauvres poumons de civilisés sont aussi mal ventilés que les locaux dans lesquels vivent leurs propriétaires.

Shirsâsana facilite l'expiration profonde par la pression des organes sur le diaphragme. C'est pourquoi les yogis disent que cette pose conduit automatiquement au prânayâma, à condition de toujours RESPIRER PAR LE NEZ.

Enfin, point capital pour notre santé, dans cette pose, le haut des poumons est bien ventilé, ce qui immunise contre la tuberculose, car le bacille de Koch, responsable officiel de cette maladie, meurt au contact de l'oxygène de l'air.

EFFETS SUR LE CERVEAU

Avant de parler des effets de Shirsâsana sur le cerveau, citons quelques chiffres. Le cerveau, gigantesque fourmilière où 100 milliards de cellules nerveuses vivent et travaillent, est l'organe le plus vascularisé de l'organisme, car ses besoins en sang sont énormes comparés à ceux des autres organes ou tissus. Le cerveau est irrigué quotidiennement par 2.000 litres de sang en moyenne : je répète, DEUX MILLE ! Les capillaires, vous le savez, sont des vaisseaux sanguins ténus à l'extrême où circulent les globules rouges. Mais savez-vous que, mis bout à bout, leur longueur totale atteindrait 100.000 kilomètres ! Alors qu'un gramme de tissu musculaire contient environ 8 mètres de capillaires, un gramme de matière blanche cérébrale, en renferme déjà 300, tandis que dans l'écorce cérébrale, la fameuse « matière grise » en recèle mille mètres ! Songez : pour chaque gramme, un kilomètre de vaisseaux sanguins vivants ! Ces capillaires sont élastiques et très sensibles aux variations de pression. Distendus, lâches, ils laissent trop facilement passer les globules. Crispés, spasmés, ils rétrécissent. Pendant Shirsâsana, le sang aidé par la pesanteur, afflue en abondance et sous légère pression (anodine, sauf les contre-indications énumérées p. 262) dans le réseau vasculaire cérébral, y provoquant un rinçage au sens littéral. Shirsâsana conserve ou restitue l'élasticité aux capillaires. L'abondant rinçage et l'ouverture des capillaires cérébraux spasmés, élimine la plupart des migraines et des céphalées (ne pas confondre la « migraine » qui n'affecte qu'une moitié de la tête avec les « céphalées » qui concernent toute la tête) souvent comme par enchantement, sans recourir aux drogues.

Shirsâsana favorise et stimule les fonctions intellectuelles. La mémoire s'améliore, ainsi que la concentration, la résistance à la fatigue nerveuse augmente, bien des états d'anxiété et de nervosité se dissipent par sa pratique quotidienne. Elle ne peut, bien sûr, muer un idiot en génie, mais l'amélioration du fonctionnement physiologique cérébral permet à chacun de mieux tirer parti de ses propres ressources intellectuelles.

Le crâne abrite aussi l'hypophyse, petite glande pesant 6 grammes, enfouie dans les profondeurs tièdes du cerveau qui, avec l'hypothalamus, orchestre l'activité de toutes les autres glandes endocrines et influencent tout l'organisme. Shirsâsana régularise leur fonctionnement ainsi que celui de la glande thyroïde, qui règle notamment le métabolisme et contribue puissamment à maintenir la jeunesse de l'organisme. L'ablation expérimentale de la thyroïde entraîne chez l'animal un vieillissement précoce et une mort prématurée ; ses altérations pathologiques causent le crétinisme.

Shirsâsana aide à retrouver ou à conserver notre poids normal ; elle fait maigrir ceux qui doivent perdre du poids et ajoute des kilos quand c'est nécessaire.

LES ORGANES DES SENS

La vision

Shirsâsana a, sur les organes des sens, des effets surprenants. La vue s'améliore à vue d'œil — c'est le cas de le dire — parce que l'appareil oculaire en général (y compris les centres cérébraux de la vision) et la rétine en particulier, grands consommateurs d'oxygène, bénéficient d'un important afflux supplémentaire de sang artériel. Pour vous convaincre de l'efficacité de Shirsâsana dans ce domaine, avant de prendre la posture, disposez une échelle d'acuité visuelle ou un journal à deux mètres de vous, puis, calmement, sans effort, balayez du regard toute la surface. Ensuite mettez-vous sur la tête, fermez les yeux pendant une minute puis regardez à nouveau l'échelle d'acuité ou le journal comme précédemment : l'image sera déjà plus nette.

Contre-indications : les personnes menacées de décollement de la rétine s'abstiendront. Il en va de même dans toutes les affections de l'œil, s'il s'agit de véritables maladies comme la conjonctivite, le glaucome, etc. Par contre, la myopie, la presbytie ou l'astigmatisme qui sont liés à de simples déformations de l'œil, temporaires ou non, ne tombent pas dans cette catégorie. Au contraire Shirsâsana ne peut que leur être favorable.

L'ouïe

L'ouïe aussi est susceptible de s'améliorer grâce à Shirsâsana.

Contre-indications : otites et autres affections inflammatoires de l'oreille. Même après la guérison il faut s'abstenir pendant quelque temps de se mettre sur la tête.

Le cervelet

Le cervelet — ce méconnu — est un organe gros comme une

258

orange, situé à la base du cerveau ; relié à tous les centres moteurs volontaires, son rôle consiste à coordonner nos mouvements. L'animal privé de cervelet reste en vie et conscient, mais devient maladroit, ses mouvements sont gauches et mal coordonnés, il a de la peine à garder l'équilibre. Le cervelet intervient spécialement dans l'exécution des mouvements en équilibre, dont Shirsâsana fait partie.

EFFETS ESTHETIQUES

En améliorant la statique de la colonne vertébrale, Shirsâsana nous gratifie d'une attitude droite, humaine et d'une démarche naturellement souple et gracieuse. En irriguant abondamment le visage de sang artériel, l'épiderme se trouve mieux nourri qu'avec la meilleure crème antirides. Les rides naissent d'abord au front et aux coins des yeux, près des tempes (pattes d'oie) parce que ces zones sont moins bien irriguées. Grâce à Shirsâsana la peau rajeunit, se régénère et les rides naissantes s'effacent (sauf les profonds sillons burinés dans le visage), le teint se rafraîchit, le visage reflète la santé. Quant aux cheveux, la tradition yogique affirme qu'elle peut les faire repousser en assurant une bonne irrigation du cuir chevelu, indispensable à tout traitement de la calvitie. Un homme grisonnant verrait ses cheveux se recolorer après un an de pratique. Toutefois, pour obtenir cette régénération, il faut tenir Shirsâsana au moins une demi-heure par jour, à répartir éventuellement en plusieurs séances. Shirsâsana produit bien d'autres effets encore, dont l'énumération deviendrait fastidieuse. Contentons-nous d'en retenir les principaux et... de pratiquer ; l'âsana produira tous ses effets, y compris ceux qui ne sont pas cités, et c'est là l'essentiel.

Terminons cette étude en ajoutant que Shirsâsana aide puissamment à vaincre l'insomnie, et favorise la circulation sanguine dans les pieds ! En effet, après avoir gardé la pose durant quelques minutes et être revenu à la position normale, on constate que les pieds deviennent roses et se réchauffent.

CONTRE-INDICATIONS

Les contre-indications à la posture sur la tête sont moins nombreuses et draconiennes qu'on ne pourrait le craindre et l'expérience a prouvé que les cas d'interdiction formelle sont rares ! Moyennant un entraînement progressif, Shirsâsana est accessible à 9 personnes sur 10.

Personnellement, nous n'avons jamais enregistré de suites fâcheuses, bien que nous l'ayons enseignée à des milliers de personnes même âgées de plus de 60 ans. Tout est question de mesure et de bon sens. La technique indiquée dans ce livre en écarte ceux à qui la pose pourrait nuire.

Il est évident que si les artères et artérioles du cerveau sont sclérosées, il faut s'abstenir ; de même dans les cas d'anévrisme et d'hypertension marquée. Même alors cependant le danger est minime, car des signes avertisseurs suffisamment éloquents en informeraient l'intéressé.

Si, par exemple, la pose sur la tête provoque aussitôt après une violente migraine, qui s'aggrave à chaque nouvelle tentative, il faut y renoncer, au moins temporairement.

Des bourdonnements d'oreilles qui s'intensifient à chaque essai doivent inciter à la prudence. Si un sifflement ou un bourdonnement se produit aux premiers essais, mais s'atténue chaque jour, c'est normal et ne doit causer aucune inquiétude. L'hypotension devient une contre-indication quand la pression artérielle descend en dessous de 9. De légers vertiges peuvent parfois se manifester, souvent dus au fait qu'après les exercices on se redresse immédiatement et trop vite, mais ils sont anodins. Dans TOUS LES CAS, aussitôt après la pose, il faut prendre une des deux attitudes décrites p. 269 pour laisser la circulation se normaliser.

REMARQUE IMPORTANTE

Mal pratiquée, Shirsâsana peut produire une sensation d'étouffement, par suite d'efforts violents pour y parvenir, ou par le blocage inconscient du souffle. N'utilisez donc jamais la violence et continuez à respirer normalement par le nez pendant toute la durée de la pose.

Pour éviter tout risque, bornez-vous d'abord aux exercices initiaux qui vous accoutumeront à avoir la tête en bas, à regarder le monde à l'envers et fortifieront les muscles du cou. Ils préparent le système vasculaire cérébral à l'afflux de sang sous légère pression accrue.

Au cours de ces exercices, les jambes ne se soulèvent pas à la verticale, et comme la pression est proportionnelle à la hauteur de la colonne de liquide (réminiscence du cours de physique !...) elle reste toujours dans la zone de sécurité !

CONTRE LE MUR OU AU MILIEU DE LA PIECE ?

Au stade initial de l'apprentissage, le mur serait un allié trompeur parce que son appui permet parfois de dépasser artificiellement ses possibilités. Ce n'est qu'après avoir maîtrisé les exercices initiaux au milieu de la pièce (il n'y a aucun risque de chute, tout au plus d'innocente culbute), qu'on peut utiliser le mur pour se redresser complètement.

Pour un départ correct, placer la tête au sommet d'un triangle équilatéral et les mains à la base. Pour déterminer le côté de ce triangle, vous disposez de la coudée, chère à nos aïeux.

La tête et les mains étant placées aux angles du triangle en question, il s'agit d'appliquer correctement la tête au sol. Le point d'application du poids du corps se situe vers l'avant du crâne. C'est très important, car la façon dont la tête est posée au sol conditionne la statique de la colonne vertébrale pendant le maintien de la pose complète. Si le point d'appui se trouve trop en arrière, le dos s'arrondira et quand vous voudrez vous mettre sur la tête, vous culbuterez.

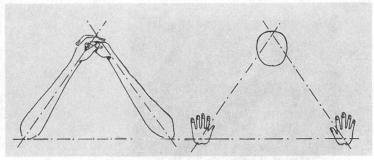

déterminer le triangle *position correcte de la tête et des mains*

La tête et les mains étant correctement posées au sol, tendre les jambes et transférer le poids du tronc sur le crâne. Les personnes plus âgées ou celles dont le cou est trop frêle, ne maintiendront cette position que durant quelques secondes au début.

Elles allongeront progressivement ce temps au fur et à mesure que la musculature du cou se fortifiera. Lorsque le cou pourra supporter plus de poids...

263

...toujours avec les jambes tendues, rapprocher les orteils du visage. Presque tout le poids du corps repose maintenant sur le crâne.

Certaines personnes préféreront poser les mains comme ceci. C'est correct, mais il faudra les maintenir ainsi durant tout l'exercice.

Sans déplacer le point d'appui du crâne au sol, replier une jambe et placer le genou sur le bras, à quelques centimètres du coude.

Procéder de même avec l'autre genou. Selon les possibilités de chacun, ces diverses étapes peuvent s'étaler sur plusieurs jours ou sur plusieurs semaines d'entraînement ou se parcourir en quelques minutes. Toutefois, il est préférable de rester en dessous de ses capacités. Lorsqu'on tient avec aisance dans cette attitude, la pose sur la tête est acquise à 80 %, et la suite ne présente plus de difficultés réelles.

*Après avoir pointé
les genoux vers le haut,
déplier les jambes.
On se trouve
automatiquement
dans la position correcte.
Il s'agit ensuite
de trouver
le point zéro,
c'est-à-dire
le point d'équilibre parfait
où la pose
sur la tête
n'exige plus
d'effort musculaire,
où vous pouvez
vous décontracter.
Dans la pose idéale,
les muscles
des jambes,
du dos,
de l'abdomen,
et même
des biceps
sont détendus.*

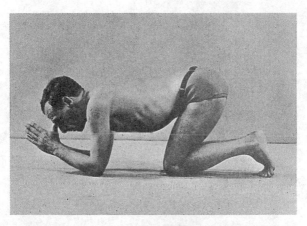

Après la pose sur la tête, et même après les positions préparatoires, il faut se reposer dans l'une des deux attitudes ci-dessus (à votre choix), afin de laisser la circulation se normaliser.

Cette remarque ne s'adresse pas aux seuls débutants, mais indistinctement à tous ceux qui pratiquent la pose sur la tête.

Les pouces se placent à la racine du nez pour pouvoir relaxer la nuque. Rester dans cette position pendant 15 à 30 secondes.

ERREURS

*Les mains ne sont pas
correctement posées
au sol.
Comme elles se trouvent
trop près du crâne,
le triangle de base
étant trop petit,
l'équilibre est instable.
Vous n'arriverez pas
à prendre
la position complète
sans culbuter.*

*Poser les mains
trop en arrière
est tout aussi
erroné.
Le triangle
est plus grand,
mais la position
anormale
des avant-bras
empêche
de poser les mains
à plat sur sol.*

*Cette photo
montre une erreur
très courante :
les genoux,
au lieu
d'être posés
sur le bras,
pendent à côté
de ceux-ci.
Dans cette attitude,
il devient
très difficile
de soulever
les jambes.*

Quelques erreurs
fréquentes :

— ne pas conserver
le poids du corps
au même endroit
du crâne
pendant
tout l'exercice :
ceci fait perdre
l'équilibre
vers l'arrière ;
— ne pas ramener
les talons contre
les fesses
et...
— ne pas pointer
d'abord les genoux
vers le plafond
avant de soulever
les pieds
et de redresser
les jambes.

269

Si vous craignez les culbutes, exercez-vous près d'un mur. Au moment où vous vous trouvez dans la position de départ, votre dos doit se trouver à 5 cm du mur. Plus près, il vous empêcherait de monter ; plus loin, au lieu d'assurer votre sécurité, il deviendrait un obstacle, donc un danger en cas de chute.

Dès que vous pouvez rester confortablement dans cette position, Kapâlâsana ne présente plus de difficultés majeures.

Ramenez d'abord les pieds contre les fesses, afin de ramasser le corps en chien de fusil. Puis, contractez le bas du dos (région lombaire), soulevez un peu les genoux. Lorsque vous sentez comment le mouvement part des hanches, montez plus haut en gardant le poids du corps appliqué au même endroit du crâne. Si vous basculez, ramenez aussitôt les genoux contre la poitrine, et vous roulerez sur le tapis, au lieu de faire une lourde chute. Si vous vous exercez au milieu de la pièce, assurez-vous qu'il n'y a pas de meubles sur la trajectoire d'une culbute éventuelle.

Après avoir amené les genoux à l'horizontale, les soulever en gardant les mollets près des cuisses. En général, au début on a tendance à vouloir redresser les jambes trop tôt.

Vous avez maîtrisé Kapâlâsana : vous réussirez bientôt à vous mettre en Shirsâsana.
Le départ est, dans la plupart des cas, plus difficile que pour Kapâlâsana, mais la position finale est plus confortable. C'est pourquoi les yogis la préfèrent : elle permet de tenir beaucoup plus longtemps.

Entrelacez les doigts sans les serrer et repliez les coudes. Les doigts se posent non sous le crâne, mais contre l'arrondi de la tête ; les doigts jouent plutôt le rôle de cale que de support. Leur rôle consiste à empêcher la tête de rouler, et à la garder dans cette position jusqu'à la fin de l'exercice.

273

Tendre les jambes et rapprocher les orteils du visage. Transférer le maximum de poids sur la tête pour alléger le travail des bras.

Lorsqu'il est impossible de rapprocher les pieds plus près du visage sans basculer vers l'arrière, replier les jambes en ramenant les talons contre les fesses.

Pour vous redresser, procédez comme pour Kapâlâsana : pointez les genoux vers le plafond avant de lever les pieds.

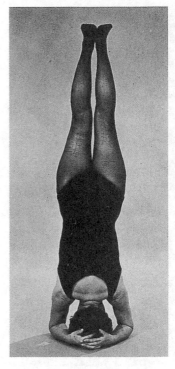

Maintenant, cherchez le point zéro, concentrez votre attention sur le relâchement des muscles depuis les orteils jusqu'au cou et à la nuque.

Veillez à bien tasser la nuque en position « de défense », ramenez les épaules le plus bas possible, sinon vous vous fatiguerez vite.

uddiyana bandha

Comment traduire Uddiyana Bandha ?

Bandha signifie ici « blocage, contraction » et *Uddiyana* se compose des racines sanscrites « *ut* » et « *di* », signifiant « voler vers le haut », ce qui n'éclaire guère notre lanterne, ni le fait que les yogis affirment que cet exercice fait « voler le *Prâna* vers le haut par la *Sushumna Nadi* » *(prâna* = énergie vitale ; *Sushumna Nadi* = conduit d'énergie subtile correspondant, dans le corps matériel, à la moelle épinière. Cf. le texte de Vasant Rele en fin de ce chapitre). Nous tournerons la difficulté... en utilisant le nom sanscrit ! En français, on pourrait l'appeler la rétraction abdominale.

INTRODUCTION

Les exercices abdominaux sont caractéristiques et spectaculaires et le non-initié qui voit un adepte rétracter entière-

277

ment l'abdomen en est très impressionné. Or, Uddiyana Bandha ne présente aucune difficulté ! En hatha-yoga, c'est aussi élémentaire que faire la planche en natation et lorsqu'on en a saisi le mécanisme, il est fréquent de le réussir d'emblée. Un Bédouin qui n'aurait jamais vu un nageur, trouverait la « planche » sensationnelle et n'en croirait pas ses yeux. De même, il faut tout ignorer du yoga pour s'éblouir devant Uddiyana, comme Arthur Koestler qui écrit :

« Il (le yogi) commença par l'*Uddiyala* (faute d'orthographe « sic ») qui consiste à contracter les muscles abdominaux en forçant vers le haut les viscères et le diaphragme jusqu'à former une large cavité sous les côtes, une invraisemblable grotte creusée dans la chair, les obliques abdominaux saillant d'une façon assez horrible comme sur les écorchés des planches anatomiques. C'était un spectacle fascinant et un peu écœurant... »

Ce pauvre Koestler n'a rien compris au yoga, qu'il n'a jamais pratiqué ; il s'est limité à un examen superficiel, et nul ne songerait à le lui reprocher s'il ne se permettait pas de pontifier à ce propos ! Laissons mijoter Koestler ; écoutons plutôt swami Sivananda, le yogi-médecin, nous dire :

« *Uddiyana Bandha* est une bénédiction pour l'humanité. Cette bandha procure la santé, la force et la longévité à qui la pratique. *Uddiyana* et *Nauli* sont sans équivalent dans aucun système d'éducation physique oriental ou occidental. »

MECANISME

Que se passe-t-il pendant l'Uddiyana ?

En fait, c'est très simple et l'examen des deux croquis ci-dessous vous le fera comprendre.

Après avoir vidé à fond les poumons par une expiration forcée, sous l'effet d'une fausse inspiration, il se crée une dépression dans le thorax, le diaphragme s'élève, aspirant à sa suite les viscères qui remontent donc en partie dans la cage thoracique. Refoulé par la pression atmosphérique, le ventre se creuse, s'efface et s'aplatit ; de profil, l'abdomen semble avoir disparu.

TECHNIQUE

Voici les conditions préalables à la réussite :
a) il faut être à jeun ;
b) pour permettre au diaphragme de remonter, les poumons doivent être complètement vides, et le rester durant tout l'exercice ;
c) la sangle abdominale doit être relaxée et rester passive ; contractée, elle s'opposerait à l'action de la pression atmosphérique ; donc les muscles abdominaux ne travaillent PAS durant tout l'exercice ;
d) c'est par une fausse inspiration thoracique, donc en écartant les côtes *sans laisser entrer d'air*, que le diaphragme remonte à la position la plus haute.

POSITION

Pour trouver infailliblement la position correcte, il suffit d'abord de s'accroupir ; ainsi, le dos est quelque peu arrondi. Puis se relever lentement sans modifier la position du tronc, c'est-à-dire ni son inclinaison, ni la courbure du dos. Quand les jambes sont presque droites (en fait, les genoux sont fléchis comme pour le ski, la rotule étant à la verticale des orteils), il suffit de poser les mains sur les cuisses pour être dans la position correcte. Pour pouvoir relâcher la sangle abdominale, les bras doivent soutenir les épaules et maintenir le corps fermement en place durant tout l'exercice (notez la position des pouces !), en poussant les coudes vers l'avant, ce qui facilite l'exercice.

Ecartement des pieds

En procédant ainsi, automatiquement vos pieds seront à environ 30 à 40 cm l'un de l'autre et presque parallèles. Quand Uddiyana vous sera devenu familier, vous pourrez vous dispenser de passer par la position accroupie.

Uddiyana Bandha peut aussi se pratiquer en Lotus.

L'EXERCICE COMMENCE

Premier temps

Expirez d'abord avec force, en contractant même les abdominaux pour vider les poumons A FOND ; moins il restera d'air résiduel dans les poumons, plus la rétraction abdominale sera facile.

Deuxième temps

En apnée, donc SANS LAISSER ENTRER D'AIR, relaxez rapidement mais complètement la sangle abdominale que vous avez contractée pour achever l'expiration forcée, puis écartez les côtes et faites le simulacre d'une profonde inspiration thoracique. Dès que les côtes s'ouvrent le diaphragme monte et, à votre surprise, vous verrez le ventre se rétracter. Tenir l'Uddiyana durant quelques instants — cinq secondes au début et augmenter progressivement la durée.

Fin d'Uddiyana Bandha

En fin d'Uddiyana, laissez la cage thoracique reprendre son amplitude normale et le ventre revenir à sa position habituelle. Alors, mais alors seulement, inspirez : ainsi l'air entrera en douceur dans les poumons. Si vous laissiez affluer l'air en Uddiyana Bandha, la dépression régnant dans le thorax provoquerait un violent appel d'air dans les poumons. Vu leur structure très délicate et l'extrême minceur de la membrane alvéolaire, cela n'est pas souhaitable.

CAUSES D'ECHEC ET REMEDES

Uddiyana ne réussira pas si :

a) *les poumons ne restent pas vides,* et si vous laissez entrer de l'air au moment de la rétraction ;
   REMEDE : au début, vous pouvez pincer les narines entre le pouce et l'index de la main gauche, par exemple, pour être sûr de rester en apnée durant tout l'exercice ;

b) *la sangle abdominale reste contractée.* Dans la position de départ, poumons vides, avec la main tâtez la musculature du ventre pour vérifier si elle est relâchée, sans quoi Uddiyana est impossible ;
   REMEDE : voir paragraphe suivant.

c) *la cage thoracique ne s'ouvre pas assez.*
   REMEDE : allongé sur le dos, essayez de rentrer le ventre en écartant les côtes. Couché, il est facile de relâcher l'abdomen et quoiqu'il se rétracte beaucoup moins, cela permet d'apprendre le mouvement.

UDDIYANA EN RAFALE

Ce *Dhauti* consiste en une série d'Uddiyanas en rafale, sans reprendre haleine : quand le ventre est rétracté, laissez-le aussitôt revenir à sa position normale, pour le re-rétracter aussitôt après, et ainsi de suite, jusqu'à ce que le besoin d'air vienne interrompre l'exercice. Prenez un peu de repos, puis recommencez.

Au début, procédez lentement. Par la suite, accélérez jusqu'au rythme d'une rétraction par seconde par séries ininterrompues de 50 à 60 Uddiyanas ou plus encore, sans reprendre haleine.

Faut-il préciser que, tout comme pour Uddiyana Bandha normal, l'estomac doit être vide ?

La difficulté consiste à effectuer ces rétractions en gardant le ventre absolument relâché. Uddiyana en rafale constitue un massage incomparable de l'abdomen qui est « pétri » et massé, facilite l'assimilation de la nourriture et accélère la digestion intestinale, justifiant ainsi l'appellation de « purification par le feu (digestif) ».

Les yogis exécutent ainsi au moins cinq cents (!) rétractions par jour, ce qui prend, repos entre les séries inclus, environ cinq minutes. Certains vont jusqu'à mille, voir mille cinq cents rétractions...

L'Occidental que nous sommes pourra se contenter de cent à cent cinquante rétractions quotidiennes.

UDDIYANA BANDHA CLASSIQUE COMPLET

L'Uddiyana Bandha se complète en faisant saillir les muscles obliques pendant la rétraction de l'abdomen.

Concentrez-vous et contractez les flancs ; cela aide à isoler les obliques (voir photo 2). Ne vous découragez pas si la réussite se fait un peu attendre ! Vous retirerez déjà tant d'avantages de la formule simplifiée que vous serez conquis par cet exercice bénéfique entre tous.

CONTRE-INDICATIONS

Toutes les affections aiguës des viscères abdominaux constituent une contre-indication : côlite, appendicite, etc. Si l'affection était ignorée, Uddiyana Bandha provoquerait une douleur. Dans ce cas, stoppez et consultez votre médecin.

Les ptoses, par contre, NE SONT PAS une contre-indication ; cet exercice les soulage beaucoup.

EFFETS BENEFIQUES

Uddiyana Bandha est un exercice fondamental dont les effets exotériques affectent surtout l'abdomen, la cage thoracique et les poumons.

Les effets ésotériques concernent l'éveil de la *Kundalini*.

ABDOMEN

Les organes abdominaux du sédentaire sont défavorisés car la respiration superficielle les prive du massage rythmique effectué par le va-et-vient du diaphragme, tandis que la position assise entraîne des stases sanguines dans les viscères, au détriment de ces organes. Une quantité importante de sang est ainsi soustraite à la circulation générale, ce qui finit par saper la vitalité. La digestion devient malaisée, le travail intestinal se ralentit, entraînant une constipation d'autant plus nocive que l'alimentation conventionnelle provoque souvent des putréfactions intestinales ; les toxines traversent la paroi intestinale et vont, lentement mais sûrement, intoxiquer tout l'organisme.

Uddiyana Bandha normal ou en rafales corrige cet état de choses par le massage en profondeur des viscères et par l'accélération de la circulation dans l'abdomen : aucun organe n'échappe à leur action. Le tube digestif tout entier est stimulé ; la digestion devient facile, la dyspepsie disparaît. Cette affirmation semble contredire l'impératif que, pour pratiquer Uddiyana, l'estomac doit être vide. L'estomac oui, mais non le tube digestif ! Quand la phase gastrique de la digestion est finie, la digestion intestinale se poursuit encore pendant des heures.

L'estomac tire profit d'Uddiyana — qui vide la poche des sucs digestifs résiduels — surtout s'il est ptosé ; or, dans notre civilisation de grands mangeurs, l'estomac de chacun est plus ou moins déformé et distendu.

Uddiyana influence les glandes annexes du tube digestif. Le foie, logé sous le diaphragme, est stimulé, décongestionné, ainsi que le pancréas, dont les îlots de Langerhans sécrètent l'insuline. Les reins sont activés avec augmentation de la diurèse, tonification des surrénales, décongestion du tractus génito-urinaire et soulagement des ptoses rénales.

Uddiyana combat l'aérophagie, facilite l'évacuation des gaz, tandis que la rate est stimulée.

ACTION SUR LE PLEXUS SOLAIRE

Le plexus solaire, déjà cité à propos de l'Arc notamment, est une formation nerveuse d'importance vitale, un véritable « cerveau abdominal » qui participe à la régulation de toutes les fonctions localisées dans l'abdomen, et dont l'action se propage au système nerveux tout entier. Par la rétention du souffle, Uddiyana agit sur le pneumogastrique et rétablit l'équilibre neurovégétatif.

Uddiyana Bandha stimule le plexus solaire par l'étirement de toute cette région et englobe aussi le plexus cœliaque dans son action.

EFFETS SUR LA CAVITE THORACIQUE

L'action d'Uddiyana Bandha ne se limite pas au seul étage abdominal : en créant une dépression dans la cage thoracique il intéresse aussi le diaphragme, les poumons et le cœur.

Chez tant de civilisés, le diaphragme, qui devrait jouer un rôle fondamental dans l'acte respiratoire et dont les mouvements de piston devraient en outre masser les viscères tout en activant la circulation sanguine, se trouve bloqué et peu mobile. Uddiyana Bandha lui restitue sa mobilité.

Uddiyana agit sur les poumons, qu'il stimule tout en leur rendant leur élasticité tandis que l'apnée à poumons vides (exempte de danger) les fortifie. Le cœur lui-même, posé sur le diaphragme, soigneusement capitonné entre les poumons, bénéficie du massage provoqué par le soulèvement rythmique du diaphragme.

Les cardiaques déclarés doivent d'ailleurs s'en abstenir ou consulter leur médecin au préalable.

CONCLUSION

Uddiyana Bandha est un tonique intégral que Swami Sivananda qualifiait à juste titre de bienfaiteur de l'humanité sans équivalent dans aucun autre système d'éducation physique.

APPENDICE

En complément à ce qui précède et notamment à propos de la justification physiologique de l'étymologie d'Uddiyana, nous traduisons ci-dessous un texte de Vasant G. Rele, médecin indien de Bombay, adepte du yoga. (Cf. *Yoga Asanas for Health and Vigour*) :

« Les âsanas yogiques visent à maintenir le corps en parfait état par la stimulation de la circulation, de la digestion, de la respiration, des sécrétions et des excrétions...

» ...*Uddiyana Bandha* signifie littéralement « blocage des impulsions volant vers le haut ». Ces « impulsions montantes » ne peuvent être que les impulsions afférentes provenant du sympathique. Ces impulsions sont cataboliques, c'est-à-dire « destructives », mais elles sont contrebalancées par les impulsions de l'autre division du système neurovégétatif, le parasympathique — qui sont anaboliques et préservatives dans leur action. L'interaction des deux systèmes règle l'activité autonome des organes. Les anciens sages ont mis au point des méthodes pour agir sur le système végétatif par le jeu des muscles abdominaux.

» Une activité excessive du parasympathique accélère le travail du tube digestif, tandis que l'hyperactivité du sympathique le ralentit. Dans l'état de santé, il y a équilibre entre les deux. Toute hyperaction d'une branche du système végétatif augmente automatiquement l'activité de l'autre pour la contrebalancer.

» *Uddiyana Bandha* contrôle l'activité excessive du sympathique, mais sans excitation parasite du parasympathique, ce qui créerait un cercle vicieux. Les troubles d'équilibre et d'harmonie entre les deux branches du végétatif ont des répercussions organiques mais aussi psychiques, créant des désordres mentaux se manifestant sous forme d'anxiété, de nervosité, de suspicion, etc. *Uddiyana Bandha* remonte les intestins au maximum, étire les fibres sympathiques et prévient l'hyperactivité du plexus solaire, sans stimulation indésirable du parasympathique. D'autre part, l'hyperexcitation du parasympathique doit être limitée sans excitation parasite du sympathique. Or, *Uddiyana Bandha* repousse aussi les intestins vers les flancs, étire ainsi les nerfs splanchniques qui remontent vers le cerveau par la chaîne sympathique longeant la colonne vertébrale, ce qui contrôle l'hyperactivité du parasympathique à son centre réel, le cervelet. Pratiqués quotidiennement, ces exercices massent et tonifient les intestins pour maintenir leur activité rythmique normale, mais en outre, rétablissent en permanence et avec efficience l'équilibre neurovégétatif et le maintiennent dans les limites des fluctuations physiologiques normales, évitant toute hyper- ou hypo-activité. »

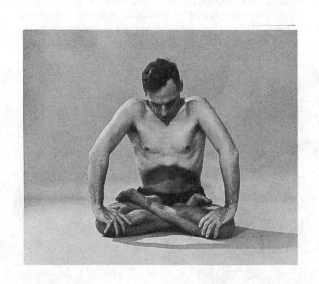

perfectionnez vos âsanas

Voir un authentique hatha yogi indien en action est un spectacle impressionnant. Ce qui frappe, outre une souplesse absolue, c'est l'harmonie des mouvements pendant la phase dynamique des âsanas : aucune saccade ni accélération n'en trouble la progression lente et continue, pareille à l'écoulement paisible et irrésistible d'un fleuve de plaine. Par exemple, pour prendre la position de la Charrue, il soulève les jambes à une allure uniforme depuis la position couchée sur le dos et amène les pieds au sol derrière la tête en leur faisant décrire une courbe pure.

Sans perdre un instant le contrôle du geste, il montre une parfaite maîtrise de soi. L'âsana suivante est prise à la même allure, sans cesser de respirer normalement et à l'aise. Expirations et inspirations se succèdent avec autant d'harmonie que s'il était tout simplement couché sur le sol, en train de se relaxer : le souffle va et vient comme une vague sur le sable de la plage. Il reste calme et serein ; derrière les gestes du corps, on perçoit le mental concentré, quoique sans tension, qui commande cette merveilleuse mécanique : un corps humain en parfaite santé, équilibré, fort, obéissant.

Imitons-le et efforçons-nous de maintenir une allure constante à travers tous les mouvements de notre séance de yoga, pour parvenir à nous concentrer presque automatiquement et éviter les distractions. Impossible, en effet, d'être distrait si vous veillez à cette uniformité d'allure, car tant de groupes musculaires différents devant se relayer successivement, une escapade du mental devient bien difficile. Maîtrisez le mouvement, contrôlez-le à tout moment, gardez votre mental intériorisé, calme et serein, pour découvrir ainsi le vrai yoga, pour éprouver chaque jour une joie renouvelée pendant vos âsanas.

Pendant la phase d'immobilisation, partie évidemment centrale et essentielle, le yogi respecte la définition : est une âsana toute position maintenue a) immobile, b) longtemps, c) sans effort.

Tout à fait immobile, sans aucun muscle qui tressaille, le yogi reste dans la position sans le moindre inconfort ; seul le souffle qui va et vient en douceur, le distingue d'une statue. Observez son visage, aussi paisible qu'un lac un matin sans brise. Cette perfection n'est peut-être pas à la portée immédiate du débutant, mais chacun doit tendre vers ce but, le poursuivre sans désemparer, chaque jour amenant un nouveau progrès, une aisance accrue, un confort, un bien-être augmentés et un maximum d'effets favorables. Bientôt, vous ne concevrez plus de pratiquer autrement votre yoga, tant vous vous sentirez maître de vous et dynamisé.

Jeunes et moins jeunes peuvent acquérir cette perfection dans le mouvement, chacun choisissant les poses selon ses possibilités et ses ambitions, en se souvenant que le yoga ne vise pas l'acrobatie. Améliorez votre technique, tendez vers l'aisance autant dans le mouvement que dans l'immobilité, et jamais le yoga ne deviendra fastidieux ni monotone, il vous passionnera toujours davantage. La maîtrise absolue du mental sur le corps sera votre but et votre récompense, et résultera de votre pratique assidue et persévérante. A tout moment, soyez attentif à relâcher un maximum de muscles, utilisez le minimum de force pendant la phase dynamique, restez rigoureusement immobile durant la phase statique, sans aucune contraction parasite, Shirshâsana ne fait pas exception et votre objectif sera de trouver le point zéro, celui du parfait équilibre, où le squelette est stabilisé dans la position, muscles relâchés, et le corps aussi fixe qu'un pylône : il vous semblera que votre corps sera devenu léger, aérien.

suryanamaskar
une salutation au soleil

J'écris « UNE » et non « LA » Salutation au Soleil, car il enexiste plusieurs variantes. J'ai choisi celle enseignée à Rishikesh, à l'ashram de Swami Sivananda, pour figurer dans ce livre car elle est accessible à tous et facile à apprendre. La Salutation au Soleil se compose d'une succession de 12 mouvements, à répéter plusieurs fois de suite et met en action toute la musculature pour la réchauffer et la « conditionner » pour les âsanas. C'est un exercice de mise en train idéal, plus rapide que les mouvements yogiques habituels et la vitesse d'exécution sera indiquée plus loin.

Toutefois, la Salutation au Soleil *(surya* - Soleil, *namaskar* = salutation) constitue un exercice complet, pouvant être pratiqué en dehors de la séance de yoga quotidienne. Traditionnellement, les yogis l'exécutent à l'aube, avant les âsanas. Que les catholiques se rassurent ! Elle n'est pas une prière païenne et je n'ai pas l'intention de leur faire exécuter à leur insu un rite hindouiste ou autre ! La Salutation au

Soleil est un splendide exercice sans lequel une séance de yoga ne se conçoit pas. Elle prépare aux âsanas qu'elle complète, tonifie la musculature, accélère et amplifie la respiration ainsi que le rythme cardiaque, sans fatigue ni essoufflement. En voyant les photos, Suryanamaskar peut paraître complexe, mais ne vous laissez pas rebuter. En fait, elle se compose seulement de six mouvements à répéter en sens inverse. Pour l'apprendre, commencez par les mouvements 1, 2, 3, 4 puis revenez en arrière en prenant les positions 10, 11, 12. C'est facile ! Ensuite, apprenez les mouvements 5 à 9. Quand vous les connaîtrez bien, il suffira de les intercaler à leur place et votre Salutation sera complète. Auparavant, lisez ce qu'en pense le Rajah de Aundh, fervent partisan de la Salutation au Soleil, qui en a observé les effets sur lui-même, sa famille, son entourage et même dans les écoles et entreprises de son royaume.

Je vous préviens : cela peut sembler « trop beau pour être vrai » ! Et pourtant, à mesure que le temps passe, j'attribue une importance croissante à Suryanamaskar en constatant les bienfaits qu'elle prodigue et qui confirment les appréciations du Rajah de Aundh que voici :

« Suryanamaskar peut être pratiquée par tous, seul ou en groupe, en toute saison puisqu'elle s'exécute aussi bien à l'intérieur qu'en plein air.

» Suryanamaskar ne prend que quelques minutes par jour (de trois à dix minutes).

» Suryanamaskar ne limite pas son action à une partie du corps ; elle agit sur l'ensemble de l'organisme.

» Suryanamaskar ne coûte rien, n'exige ni équipement ni matériel coûteux : un espace de deux mètres carrés suffit ! Suryanamaskar tonifie le système digestif en étirant et comprimant successivement l'abdomen, masse les viscères (foie, estomac, rate, intestins, reins), active la digestion, élimine la constipation, évite la dyspepsie.

» Suryanamaskar fortifie la sangle abdominale et, de fait,

maintient les organes en place. Les stases sanguines dans les organes abdominaux sont éliminées.

» Suryanamaskar synchronise le mouvement et la respiration, ventile les poumons à fond, oxygène le sang et détoxifie par l'expulsion massive de CO_2 et autres gaz nocifs par les voies respiratoires.

» Suryanamaskar augmente l'activité cardiaque et l'irrigation sanguine de tout l'organisme, ce qui est capital pour la santé. Elle combat l'hypertension, les palpitations et réchauffe les extrémités.

» Suryanamaskar tonifie le système nerveux grâce aux étirements et flexions successives de la colonne vertébrale, régularise les fonctions du sympathique et du parasympathique, favorise le sommeil. La mémoire s'améliore.

» Suryanamaskar écarte les soucis et rend la sérénité aux anxieux. Les cellules nerveuses récupèrent plus lentement que les autres, mais la pratique assidue et régulière de Suryanamaskar rétablit peu à peu un fonctionnement normal.

» Suryanamaskar stimule et normalise l'activité des glandes endocrines — la thyroïde notamment — par les mouvements de compression du cou.

» Suryanamaskar rafraîchit et satine l'épiderme. La peau évacue quantité de toxines, car l'exercice bien fait amène une légère transpiration jusqu'à l'apparition d'une moiteur. »

Le Rajah de Aundh recommande même d'aller jusqu'à la transpiration profuse : en Inde, vu la température ambiante, quelques minutes de pratique y suffisent mais, sous nos cieux, cela n'est pas nécessaire. L'épiderme reflète la santé, le teint s'éclaircit, la peau bien irriguée rajeunit. Suryanamaskar fortifie toute la musculature : cou, épaules, bras, poignets, doigts, dos, sangle abdominale, cuisses, mollets, chevilles, sans l'alourdir ni l'hypertrophier. Fortifier le dos est un moyen simple mais efficace pour lutter contre bien des troubles rénaux. Je cite encore le Rajah de Aund, décidément intarissable dans ses éloges :

« Suryanamaskar modifie l'aspect et le maintien du buste de la jeune fille et de la femme. La poitrine s'épanouit normalement, devient (ou redevient) ferme et élastique par la stimulation des glandes et le renforcement de la musculature pectorale.

» Suryanamaskar règle l'activité de l'utérus et des ovaires, supprimant les irrégularités menstruelles et les douleurs, et facilite l'accouchement.

» Suryanamaskar prévient la chute des cheveux et réduit la tendance au grisonnement.

» Suryanamaskar contrebalance l'effet néfaste des talons hauts, des chaussures trop étroites, des ceintures, cols et autres vêtements serrants, prévient les pieds plats, fortifie les chevilles.

» Suryanamaskar efface les bourrelets adipeux, surtout la graisse « de luxe » à l'abdomen, aux hanches, aux cuisses, au cou et au menton.

» Suryanamaskar réduit la proéminence anormale de la pomme d'Adam grâce aux flexions du cou vers l'avant et à la compression rythmique de la thyroïde.

» Suryanamaskar élimine les mauvaises odeurs corporelles en chassant les toxines par les émonctoires naturels : peau, poumons, intestins, reins.

» Suryanamaskar augmente l'immunité aux maladies en fortifiant le terrain.

» Suryanamaskar galbe le corps humain, sans hypertrophier la musculature et en réduisant l'excès de graisse.

» Suryanamaskar donne de la grâce, de l'aisance aux mouvements et prépare à la pratique des sports en général.

» Suryanamaskar suscite et maintient un esprit juvénile, ce qui est un atout inappréciable. Il est merveilleux de se savoir prêt à affronter la vie et capable d'en extraire un maximum de vraies joies. En résumé, Suryanamaskar procure la santé, la force, l'efficacité et la longévité à laquelle chaque être humain a droit. »

Le Rajah de Aundh proclame en conclusion :

« Suryanamaskar, pratiqué loyalement et avec persévérance, sans être une panacée, gratifie ses adeptes d'une santé superbe, d'une énergie vibrante et rend une nouvelle jeunesse aux personnes âgées ; ma propre vie, et celle des miens, dit-il, est un chant de bonheur grâce à Suryanamaskar. Si vous connaissez et pratiquez déjà la Salutation au Soleil, exécutez-la avec plus d'ardeur encore et augmentez le nombre d'exécutions quotidiennes : ces pages en rendent l'apprentissage agréable et facile. »

Prenez vos mensurations : tour des cuisses, tour de taille, de poitrine, biceps, cou. Dans six mois vous comparerez et vous serez convaincu.

Travaillez séparément chaque position durant quelques jours, les plus faciles d'abord. N'essayez pas d'atteindre d'emblée à la perfection. Un des attraits de Suryanamaskar réside d'ailleurs dans le perfectionnement incessant apporté à son exécution.

A la plupart des descriptions de Suryanamaskar il manque une indication essentielle : le rythme des mouvements. Aussi bien des gens exécutent la Salutation au Soleil — en toute bonne foi — à la vitesse, ou plutôt à la lenteur des âsanas, ce qui est regrettable !

Lorsque vous connaîtrez bien la Salutation au Soleil vous exécuterez les douze mouvements en 20 secondes.

Que votre premier but soit 15 Suryanamaskars en 5 minutes ; après six mois, 40 en 10 minutes. Cela constitue une ration moyenne qui peut être scindée en deux séances, par exemple cinq minutes le matin et cinq minutes le soir avant d'aller au lit. Les femmes s'en abstiendront pendant les premiers jours des règles.

Les futures mamans peuvent pratiquer jusqu'au début du cinquième mois. Après la naissance, demander l'avis du médecin et recommencer graduellement.

La concentration est primordiale et, à chaque mouvement, une participation active de la conscience est requise. Ne penser à rien d'autre, éviter les distractions et les interruptions. Un rythme uniforme est à maintenir au cours des salutations successives. Surtout le matin, les premières peuvent être plus lentes et moins poussées car les muscles sont encore engourdis. Il est recommandé de s'orienter vers le soleil levant ou du moins vers l'est.

Pensez au soleil, concentrez-vous sur lui, le dispensateur de toute vie terrestre. Toute votre énergie, même celle que vous utilisez pour effectuer cette salutation, provient de son rayonnement. A un moment donné, chaque atome de votre corps a fait partie d'une étoile semblable au soleil. Pensez a la puissance cosmique qui se manifeste à travers le soleil. Cette attitude ajoute un contenu plus élevé, insuffle un esprit à la Salutation au Soleil qui cesse ainsi d'être un banal exercice musculaire pour englober toute la personnalité .

Si vous pratiquez une autre Salutation au Soleil qui vous donne satisfaction, continuez ! Toutes ses variantes sont valables, mais ne les mélangez pas.

Il est essentiel de synchroniser la respiration et les mouvements. A nouveau, la complication n'est qu'apparente, ils se synchronisent aisément et il serait difficile de pratiquer autrement sans s'essouffler rapidement. Si l'adepte rythme ses mouvements et sa respiration, il pourra exécuter ses Salutations sans essoufflement ni fatigue.

Pour vous faciliter la mémorisation, consultez le tableau schématique reproduit ci-contre qui indique la séquence souffle-positions. Au début, tant que les mouvements ne vous sont pas familiers, ne tenez pas compte des indications concernant la respiration, laissez-la se faire naturellement.

RESUME DE LA SALUTATION AU SOLEIL
AVEC RESPIRATION

1
EXPIRER

2
INSPIRER

3
EXPIRER

4
INSPIRER

5
STOP

6
EXPIRER

7
INSPIRER

8
EXPIRER

9
INSPIRER

10
EXPIRER

11
INSPIRER

12
EXPIRER

300

303

Le front n'est pas poussé vers les genoux. De ce fait, la flexion est réduite. La thyroïde n'est pas comprimée par la pression du menton contre la poitrine.

Les pouces ne sont pas accrochés. Le dos n'est pas étiré.

La tête n'est pas relevée. Le tibia est perpendiculaire au sol.

Les talons ne touchent pas le sol. Le corps ne forme pas un V renversé parce que le regard n'est pas tourné vers le nombril. Le dos n'est pas étiré.

Ne pas se coucher à plat ventre au sol. Les pieds ne peuvent être allongés, les orteils doivent rester au sol. Durant tout l'exercice, les mains demeurent comme rivées au sol. Les pieds, une fois rejetés en arrière restent au sol au même endroit, pour revenir, en fin de la Salutation, à leur point de départ. Au début, souvent cela n'est pas possible, mais avec un peu de patience on y parvient.

L'erreur ci-dessus découle des précédentes. La jambe est fléchie correctement. Le pied gauche n'est pas assez près des mains.
Au début, il est difficile de ramener le pied jusqu'à son point de départ. Pour faciliter les choses, placez le poids du corps sur le pied et la main opposés ; cela permet d'incliner légèrement le bassin et facilite le retour du pied.

vous êtes
ce que vous mangez

Les sages de l'Inde antique ont fixé avec précision les règles de la diététique yogique et déterminé quels aliments le yogi doit choisir pour rester jeune et sain, mais les différences de climat, de mode de vie, d'aliments disponibles, sont telles qu'il est impossible, en Occident, de suivre leurs préceptes à la lettre. Comme le yoga sans la diététique n'apporte pas tous les bénéfices que l'adepte doit en attendre, la nourriture apportant les matériaux de construction du corps, nous devrons, ensemble, établir les principes diététiques applicables en Occident, ce qui ne sera pas facile car les divers systèmes se contredisent et se combattent parfois avec acharnement. Les pages qui suivent renferment les principes de base sur lesquels tous ou presque sont d'accord.

Passons d'abord en revue nos principales erreurs alimentaires et à ce sujet, écoutons le docteur W. Kollath, spécialiste allemand en la matière, qui affirme : « Si l'on excepte les maladies provenant de causes accidentelles, d'empoisonnements (plomb, arsenic, etc.), de micro-organismes extrêmement virulents, de malformations congénitales, la majorité des maladies connues trouve son origine directe ou indirecte dans une alimentation incorrecte. »

Vu l'alimentation conventionnelle du civilisé « moyen », il est même étonnant qu'elles ne soient pas plus nombreuses ! Un nombre croissant de personnes s'en rend compte, mais cela reste, malgré tout, une minorité. Croire cependant que la réforme alimentaire se limite aux... aliments est une erreur : C'est l'ensemble des habitudes alimentaires qu'il faut réviser. Voici nos principales erreurs alimentaires :

Nous ingurgitons :

1° trop vite,

2° trop chaud ou trop froid,

3° en trop grande quantité,

4° des aliments dénaturés, et

5° une nourriture trop riche et carencée à la fois.

Il faut d'abord remédier aux erreurs 1, 2 et 3, sinon la plupart des avantages d'une nourriture correcte sont perdus

Ce qui importe, c'est ce qu'on assimile et non ce qu'on ingurgite !

Bien sûr, nous savons qu'il faut mastiquer les aliments à fond, on nous l'a seriné dès l'école primaire... ce qui n'empêchait d'ailleurs pas l'instituteur qui nous l'enseignait, d'engloutir tout rond ses tartines, à l'appui de larges rasades de café, tandis qu'il nous surveillait au réfectoire... Des aliments insuffisamment mastiqués qui n'ont pas subi la prédigestion buccale deviennent un lest dans l'estomac et l'intestin. Cela concerne en premier lieu les hydrates de carbone (pain, pâtes, etc.) qui doivent être prédigérés par la salive pour être correctement assimilés. La viande ne doit pas être mastiquée longuement car sa digestion est surtout stomacale. Quant aux graisses, elles ne sont guère « digérées » que sous l'action de la bile. C'est ce qui rend, par exemple, les fritures si indigestes.

Les yogis mastiquent leur nourriture avec une patience de ruminant pour en extraire tout le goût, jusqu'à ce qu'elle se liquéfie en bouche et la remuent voluptueusement avec la langue, organe principal d'absorption d'énergie prânique, après la muqueuse du nez.

Horace Fletcher, le célèbre diététicien américain, n'a donc rien inventé, mais comme il a poussé l'étude de ce problème plus loin que tous ses prédécesseurs, son texte mérite d'être étudié et il mérite notre estime car il applique lui-même sa méthode, ce qui n'est pas toujours le cas de tous les faiseurs de systèmes...

Sauf les yogis, personne avant Fletcher n'a démontré l'importance et la nécessité de la mastication d'une façon aussi irréfutable et persuasive, personne n'a donné des indications aussi précises et pratiques. S'il est vrai qu'une nourriture bien mastiquée est à moitié digérée, mastiquée à la Fletcher, elle l'est aux trois-quarts !

Sous réserve de ce que je viens d'écrire à propos de la viande et des graisses, il faut mâcher, triturer, pétrir chaque bouchée, la garder dans la bouche bouche le plus longtemps possible, jusqu'à ce qu'elle passe d'elle-même dans l'œsophage. Ne comptez pas vos mastications ! Laissez agir la salive sur les aliments, concentrez toute votre attention sur l'acte de manger, sur les modifications de goût qui se produisent et vous découvrirez la véritable saveur des aliments.

Comme la digestion accapare environ 60 % de l'énergie nerveuse disponible, en facilitant le travail si complexe du tube digestif, vous libérez des réserves d'énergie pour d'autres tâches, tandis qu'en mastiquant trop peu vos aliments, ils deviennent indigestes, causent des troubles digestifs et vous subirez les conséquences d'un métabolisme anormal : dyspepsie, obésité ou, au contraire, maigreur excessive.

Longuement mastiqués, « conditionnés », les aliments arrivent à l'estomac à la température idéale et vous éliminez les erreurs n° 2 et n° 3, car ceux qui mangent trop vite mangent trop. Or, tout excès de nourriture — même la meilleure — est nuisible. Dès le premier essai de mastication rationnelle, vous en éprouverez les bienfaits : une digestion facilitée ! Une preuve de l'efficacité de la méthode est donnée par les selles qui sont bien moulées, molles, ont l'aspect de la terre glaise humide et ne sont plus malodorantes, la constipation s'élimine. Vous en connaissez les effets néfastes : les toxines produites par les bactéries de putréfaction passent dans le sang et empoisonnent tout l'organisme.

Fletcher nous demande aussi de ne manger que lorsque nous avons vraiment faim alors que le civilisé mange parce que « c'est l'heure ». Quand la vraie faim s'installe (ne pas confondre « faim » et « appétit », qui n'est qu'un désir de manger), les plats les plus simples deviennent succulents, le goût s'affine alors que les mets compliqués perdent de leur attrait. Vous devenez un épicurien, au vrai sens du terme, alors qu'un goinfre ne retire aucun réel plaisir, même des préparations culinaires les plus raffinées.

Fletcher dit aussi : « Cessez de manger aux premiers signes de satiété, n'allez pas jusqu'à la réplétion. »

Il nous conseille d'éloigner les soucis et d'éviter les discussions pendant les repas.

Réapprendre à manger est une tâche ingrate, exigeant patience et persévérance. Ne vous faites aucune illusion ! Il est très difficile d'éliminer une habitude aussi ancrée que celle de manger en hâte. Combien de parents sont responsables en incitant leurs enfants à manger vite, promettant même une récompense au premier qui aura vidé son assiette et menaçant le dernier d'être privé de dessert !

Il est ardu mais indispensable de modifier son rythme de mastication. Utilisez l'astuce suivante : déposez la cuillère, la fourchette ou le pain, placez les mains dans le giron et mastiquez, si possible avec les yeux fermés pour mieux vous concentrer.

La première semaine est la plus pénible, mais bientôt vous ne pourrez plus manger autrement.

Il faut mâcher même les aliments liquides (potages, lait, etc.) y compris l'eau : il faut boire les solides et mâcher les liquides !

Toutefois, et je le répète avec insistance, qu'il ne faut pas trop insister pour la viande qui acquiert un goût infâme d'autant que c'est inutile, puisqu'elle se digère dans l'estomac sous l'action des sucs gastriques et non par la ptyaline de la salive comme c'est le cas pour les hydrates de carbone.

Alors, mastiquons avec conviction, énergie et persévérance ! Bon appétit !

carnivore ou végétarien ?

La diététique est une science ingrate. En effet, tout le monde s'accorde pour constater que l'homme moderne se nourrit agréablement mal. Mais, quand il s'agit de définir une alternative, quel que soit le régime préconisé, il est impossible de rallier l'unanimité des suffrages. Et c'est sans doute normal car aucun système n'est parfait, ni valable universellement en toutes circonstances. En cette matière tout est individuel et dépend du cas particulier.

Si vous interrogez un agriculteur à propos de la nourriture à donner au cheval — à supposer qu'il en ait encore un ! —, avant de répondre il demandera s'il reste à l'écurie ou s'il laboure. Dans le premier cas, il conseillera le foin, dans l'autre l'avoine. Pareillement, pour le propriétaire d'une écurie de course, le « menu » sera différent selon qu'il s'agit d'un pur-sang à l'entraînement pour un quelconque Grand Prix ou d'un cheval au repos.

Ce qui est vrai pour les chevaux, l'est aussi pour l'homme,

315

mais pour simplifier, convenons que les conseils diététiques suivants s'adressent au « civilisé sédentaire » que nous sommes presque tous devenus — hélas !

Première question : faut-il devenir végétarien ou rester carnivore ?

Tout d'abord, laissez-moi vous rassurer : il n'est pas obligatoire de supprimer la viande, sous prétexte qu'on fait du yoga. D'accord, en Inde, les yogis sont végétariens, lacto-céréaliens pour être précis, mais cela n'implique pas qu'un Occidental pratiquant une demi-heure d'âsanas par jour doive pour autant renoncer à la viande.

Toutefois, il faut considérer la question en écartant tout préjugé et se poser les questions suivantes :

1° Est-il « indispensable » de manger de la viande ?

2° Si « oui », quelle quantité ?

3° Si « non », pourquoi et par quoi la remplacer ?

Il est admis que les acides aminés sont indispensables, mais ils n'existent pas que dans les cadavres d'animaux dépecés. N'ayons pas peur des mots : le carnivore dévore bel et bien des cadavres de bêtes souvent mortes depuis longtemps. Quels en sont les inconvénients ?

1° La viande, c'est-à-dire le muscle, est un aliment unilatéral qui contient peu de vitamines, peu de sels minéraux mais surtout qui *acidifie* l'organisme . Dès lors, son assimilation entame nos réserves de ces substances vitales dont notre alimentation est souvent peu pourvue, car l'industrialisation semble s'ingénier à les éliminer par raffinage, cuisson trop prolongée à de hautes températures, ou traitements « industriels » qui dévitalisent et déminéralisent les aliments.

2° Elle apporte un excès de protéines (animales, par définition), excès qui perturbe le métabolisme et produit des toxines (purines ou déchets uriques, cause de rhumatismes).

3° Elle contient tous les déchets organiques de l'animal.

4° La viande est un excitant et c'est ce qui la fait tant apprécier. Comme tous les excitants, à l'euphorie succède la phase dépressive et pour rétablir ce bien-être fallacieux on a recours à d'autres excitants (thé, café, tabac), ou à la substance euphorisante par excellence, l'alcool. Consommation de viande, d'alcool, de tabac, de café, etc. vont de pair, car l'usage de l'un fait recourir aux autres.

5° La viande, les œufs et le poisson ont une caractéristique commune : abandonnées à elles-mêmes, ces denrées se putréfient très vite. Ne parlons même pas des « vaches folles ». Le lait ne « pourrit » pas, il sûrit, ce qui est tout différent. Grâce au progrès (!) notez qu'il y a maintenant des laits industrialisés qui finissent quand même par pourrir !

Or, ces bacilles de putréfaction sont nos pires ennemis. Ils colonisent le gros intestin par milliards, y profilèrent, modifient la flore bactérienne originale qui devrait comprendre en majorité des bacilles capables d'attaquer la cellulose et qui ne sécrètent pas de toxines. Quand la putréfaction s'installe dans le gros intestin, les toxines, produites en abondance, filtrent à travers la membrane intestinale et s'en vont empoisonner, lentement mais sûrement, tout l'organisme. Au fil des années, elles deviennent la cause directe d'innombrables altérations organiques en affaiblissant le terrain et créent les conditions favorables à l'éclosion de la maladie. Les toilettes, après le passage d'un carnivore « bon teint », permettent d'apprécier l'odeur ou plutôt la puanteur qui s'en dégage. Les selles normales devraient être presque inodores. Cette putréfaction est souvent l'origine de la constipation opiniâtre dont souffrent tant de civilisés, car la digestion de la viande entraîne un déficit en fibres végétales dans l'intestin, ce qui perturbe le péristaltisme normal. Le végétarien qui s'écarte de son régime durant quelques jours, constate aussitôt un changement de couleur et d'odeur ainsi qu'une difficulté d'évacuation intestinale.

6° Ajoutons, pour ceux qui l'admettent, qu'en ingérant de la viande, vous absorbez des vibrations animales qui entravent le développement spirituel.

Si vous désirez, malgré tout, consommer de la viande, des œufs et du poisson, respectez au moins les règles suivantes, qui sont impératives :

— que la viande soit un élément d'appoint ; ne dépassez pas 60 à 100 grammes (maximum !) par jour ;

— évitez la charcuterie, préférez le bifteck ;

— en consommant la viande très cuite, vous réduisez le nombre de bactéries de putréfaction dans l'intestin. Le « bouilli » est stérile à ce point de vue ;

— les œufs et le poisson doivent être TRES FRAIS.

Pour le poisson, ce n'est plus guère un problème grâce à l'accélération des transports et aux frigos. Quant aux œufs, la question est plus délicate car ceux de l'épicier datent rarement de moins d'une semaine : souvent ils ont au moins deux ou trois semaines. Même cuits durs (6 minutes), les bacilles ne sont pas tous tués.

Si vos selles sont très malodorantes, indice d'une putréfaction intestinale intense, appelez à la rescousse le ferment lactique (yaourt) ennemi du bacille de putréfaction, pour acidifier votre intestin et freiner la prolifération des bacilles putrides.

Retenez que nos grands-parents consommaient beaucoup moins de viande que nous. Voici quelques décennies, en semaine, dans les campagnes, la viande n'apparaissait qu'à un seul repas par jour, sous la forme d'une tranche de lard accompagnant les « patates ». La tranche de viande de bœuf dominicale était un « extra ».

Encore un conseil : restez carnivore aussi longtemps que vous serez persuadé que la viande vous est indispensable. Il faut d'abord être végétarien en esprit avant de le devenir dans l'assiette.

Rien ne presse ! Assurez-vous, en vous documentant impartialement, qu'il est possible non seulement de vivre sans viande, mais que cela procure des avantages incalculables pour votre santé. Visitez un cimetière de trappistes, végétariens stricts très frugaux, vous y constaterez que la plupart d'entre eux ont vécu presque centenaires, quand ils n'ont pas dépassé un siècle d'âge. De même dans les autres ordres monastiques végétariens : le cancer y est pratiquement inconnu ainsi que l'artériosclérose, l'infarctus et bien d'autres maladies de dégénérescence, précisément les plus redoutables, celles contre lesquelles nous sommes le moins armés. Mais la question se pose : par quoi « remplacer » la viande » ? Réponse : par rien du tout ! C'est l'ensemble de votre régime alimentaire qu'il faut revoir et modifier progressivement, par adaptations successives. Je répète cependant qu'il n'est pas indispensable d'être végétarien pour pratiquer le yoga.

Que deviendraient les bouchers si tout le monde se « convertissait » au végétarisme ? D'abord, soyez sans crainte, cette conversion générale n'est ni pour aujourd'hui ni pour demain. Ensuite, on peut penser qu'ils imiteraient l'exemple d'un de mes amis de vieille souche, adepte du yoga quoique boucher de son état, qui conseillait chaleureusement à tous ses clients ébahis, de ne plus manger de viande, parce que c'était nocif, etc... Il a fini par fermer sa boucherie pour ouvrir un restaurant végétarien !

adaptez votre régime

Pour améliorer votre régime sans révolutionner vos habitudes alimentaires, procédez par substitutions successives : sans être parfait, votre régime sera déjà très supérieur à l'alimentation conventionnelle.

Voici quelques substitutions faciles à instaurer :

PAIN COMPLET AU LIEU DE PAIN BLANC

Le pain blanc offre, sous sa croûte dorée, une mie appétissante et tendre, qui — hélas ! — n'est plus guère que de l'amidon. Remplacez-le par un pain de qualité, à base de céréales complètes ou semi-complètes. L'aspect moins engageant de celui-ci rappelle peut-être les privations du temps de guerre : ce pain constitue cependant un aliment de haute valeur diététique qui seul mérite le nom de « pain ». Vous en trouverez d'excellents : essayez différentes marques pour découvrir celui qui vous convient le mieux. Préférez le pain complet au levain. Bien vite vous y prendrez goût et le pain blanc vous semblera aussi insipide que de l'ouate. Vous vous régalerez avec du pain complet sans plus avoir envie d'y mettre de la confiture, etc. Le pain digne de ce nom se suffit à lui-même.

Il requiert une mastication poussée qui le rend très digeste, même pour nos estomacs délicatisés, et ne révèle son goût délicieux qu'après une mastication prolongée.

SUPPRIMEZ LE SUCRE BLANC INDUSTRIEL

Le sucre blanc industriel est un produit chimique pur : moins vous en prendrez, mieux cela vaudra. Notre corps fabriquant son propre sucre à partir des céréales, n'a besoin d'aucun apport extérieur. L'humanité se serait éteinte si le sucre avait été indispensable car son usage est tout récent. Le sucre blanc industriel, extrait de la betterave, est né du blocus continental décrété par l'Angleterre contre l'Europe sous Napoléon. Depuis, sa production et par conséquent sa consommation, ont monté en flèche pour atteindre à ce jour des chiffres effarants.

Pour ne point bousculer vos habitudes, remplacez le sucre blanc ordinaire par du sucre de canne non raffiné, en très petites quantités.

Sous Louis XIV le sucre était une denrée si rare que le Roi-Soleil conservait précieusement sous clé, dans une minuscule boîte, un peu de sucre de canne ramené « des îles » !

Quelques décennies plus tard on pouvait s'en procurer en pharmacie, ou plutôt chez les apothicaires, comme on les nommait alors.

AU DIABLE LE SEL RAFFINE —
VIVE LE SEL MARIN !...

Le sel blanc ordinaire est — lui aussi ! — un corps chimique pur, du chlorure de sodium pour l'appeler par son nom, que le raffinage a privé de ses oligo-éléments et autres corps d'importance vitale. Bien sûr, il reste sec même par temps humide et s'écoule gentiment de la salière sans en boucher les trous. Sa blancheur immaculée rassure.

Qu'à cela ne tienne ! Remplacez-le par du sel marin : dans le potage, ni dans les autres mets, personne n'y verra de différence, mais votre organisme ne s'y trompera pas. Le plasma sanguin est de l'eau de mer diluée, ne l'oublions pas !

PREFEREZ LES HUILES ANTI-CHOLESTEROL

Le civilisé mange trop et trop gras ! En fait de graisses, la qualité est déterminante. Réduisez l'apport des lipides en général, mais surtout soyez draconiens envers les graisses hydrogénées, riches en acides gras saturés, donc pratiquement toutes les graisses solidifiées (margarines ordinaires, graisse de coco, etc...) et les graisses animales ! Utilisez les huiles de première pression à froid de tournesol, de soya, de germe de blé ou de maïs, qui font baisser le taux de cholestérol sanguin, et vous préservent de l'artériosclérose. Toute huile transformée industriellement pour la solidifier a perdu de ce fait la totalité de ses acides gras insaturés, proches parents des vitamines.

La seule margarine acceptable est celle à base d'huile de tournesol non hydrogénée. Comparée au beurre, son aspect anémique est peu appétissant, mais souhaiteriez-vous qu'on la « colore » pour flatter l'œil ?

Réduisez donc l'apport de graisses et n'utilisez que des huiles anti-cholestérol : vous rendrez un fier service à votre cœur et à vos artères.

MOINS DE POMMES DE TERRE, PLUS DE RIZ

L'humble pomme de terre a ses vertus ; nous n'allons pas l'accabler. Riche en sels minéraux, en vitamines (C), elle a des propriétés basifiantes fort utiles, vu la nourriture trop génératrice d'acides du civilisé, mais cela ne justifie pas qu'on lui attribue la place d'honneur dans nos menus. Il est préférable de n'en consommer qu'occasionnellement, disons une ou deux fois par semaine, pour la remplacer par du riz, complet ou semi-complet, bien entendu, non par le riz glacé ordinaire. Les gourmets de votre entourage ne s'en plaindront pas, car il se prépare de mille façons, plus savoureuses les unes que les autres. Cet aliment de haute valeur diététique mérite une large place dans votre régime. Qu'il devienne la base de votre repas principal.

A propos de pommes de terre, cuisez-les de préférence en « robe des champs », pelez-les ensuite, sinon vous jetez à l'évier les précieux sels minéraux solubles.

PREFEREZ LES FRUITS DU PAYS ET DE SAISON

Les fruits de notre sol sont en équilibre biologique avec nous. Mangeons-les en saison, lorsqu'ils ont mûri naturellement sur l'arbre. Ne refusons pas a priori tous les fruits exotiques, mais limitons-en la consommation. Préférons, dans ce cas, les oranges ayant mûri au soleil plutôt que dans la cale du navire, ce qui est pratiquement toujours le cas des bananes, dont il vaut mieux se passer. Mangez aussi des noix, des amandes, des noisettes et en saison des marrons bien chauds et croustillants.

EVITEZ LES CONSERVES EN BOITES

Les légumes frais du pays, cultivés si possible sans engrais chimiques, sont à préférer à toutes les conserves en boîte. Les conserves industrielles garantissent une conservation pratiquement illimitée, acquise par sept cuissons successives : quelle valeur alimentaire ont encore ces produits ? D'accord, il est presque impossible de s'en abstenir totalement dans notre monde civilisé, mais limitez leur consommation au strict minimum.

CONCLUSION

Ces quelques pages ne prétendent pas couvrir le sujet si vaste de la diététique, mais d'éliminer les erreurs les plus criantes de l'alimentation conventionnelle.

le petit déjeuner kollath

Notre planète héberge 700.000 espèces vivantes différentes, parmi lesquelles seul l'homme et les animaux domestiques soumis à son influence, se nourrissent d'aliments cuits. L'alimentation naturelle devrait donc être crue. Hélas, nos estomacs et intestins (les civilisés tolèrent mal les crudités, surtout les céréales, car faute de disposer, comme les oiseaux granivores, d'un jabot où les graines sont pré-digérées, l'homme digère mal les céréales crues. Le professeur Werner Kollath, diététicien en même temps que docteur en médecine, a trouvé le moyen de rendre le blé digeste sans cuisson grâce à son « petit déjeuner Kollath », à ne pas confondre avec le Bircher-Müesli à base de fruits (pommes râpées surtout), de lait condensé, de jus de citron, plus une faible quantité de flocons d'avoine, repas destiné à augmenter la consommation de fruits, et où les céréales ne représentent donc qu'un élément de second plan.

Le petit déjeuner Kollath vise à rendre le froment assimilable sans cuisson, le rôle des fruits étant de rendre le petit déjeuner plus agréable au goût tout en complétant sa valeur alimentaire.

COMMENT PREPARER
LE « PETIT DEJEUNER KOLLATH » ?

Voici la recette de base ; ingrédients par personne : 30 à 40 g (2 à 3 cuillerées à soupe) de farine fraîche de froment complet ; 3 à 5 cuillerées d'eau ; 1 à 2 cuillerées de jus de citron ; 15 g de fruits secs, coupés menu ; 100 g de pommes, râpées au moment de l'emploi, ou tous autres fruits mûrs du pays et de saison ; 1 cuillerée à soupe d'amandes ou de noisettes pilées, pour saupoudrer le tout.

LE SOIR : dans un bol, verser les 30 ou 40 g de farine fraîche de froment (un moulin à café électrique transforme en quelques secondes le froment en farine complète), puis 3 à 5 cuillerées d'eau, mais JAMAIS de lait.

Remuer, puis abandonner à la température de la pièce (20° C) jusqu'au lendemain matin. Toute la nuit les céréales vont gonfler, devenir une pâte ferme, tandis qu'ont lieu des transformations chimiques d'ordre fermentatif auxquelles il faut attribuer la valeur diététique du petit déjeuner Kollath et sa digestibilité.

Dans un autre récipient, faire tremper les 15 g de fruits secs (figues, raisins ou dattes) coupés menu.

LE LENDEMAIN MATIN : mélanger le contenu des deux récipients en utilisant l'eau de trempage des fruits secs, ajouter 1 à 2 cuillerées de jus de citron frais. Ajouter 100 g de pommes râpées (ou de poires) ou fruits de saison écrasés : fraises, cerises, prunes, pêches, etc...

Saupoudrer le mélange avec les amandes ou noisettes pilées.

Pour varier chacun peut y ajouter, à son gré, de la crème

fraîche, de la pâte d'amandes ou de noisettes, ou une cuille-rée à café de miel. Chaque personne dispose ainsi d'une por-tion de 4 à 6 cuillerées à soupe. La pomme sera râpée au mo-ment de servir pour éviter l'oxydation (employer toujours une râpe en inoxydable) car sa pulpe doit rester blanche ; le déjeuner sera juteux, mais non liquide. Ceux qui ont bon ap-pétit peuvent prendre APRES, du pain complet au fromage blanc maigre, par exemple. L'usage régulier du déjeuner Kollath, procure les effets suivants :

a) sentiment de satiété durant 4 heures au moins. Pas de fausse faim dans la matinée, pas de surcharge de l'esto-mac ;

b) régularisation du poids. Les personnes désireuses de perdre du poids, n'auront pas faim avant le repas de midi et supporteront une ration réduite. Au contraire, celles qui veulent grossir verront leurs fonctions digestives améliorées et leur poids augmenter ; c'est paradoxal, mais parfaitement logique ;

c) la constipation, facteur d'auto-intoxication, est éliminée ;

d) ce petit déjeuner étant détoxicant, les signes de fatigue et d'épuisement, qui sont l'indice d'une accumulation de toxines plutôt que d'une véritable fatigue, disparaissent ;

e) augmentation de l'efficience physique et intellectuelle ;

f) sensation de bien-être généralisé, résultant du meilleur équilibre biologique ;

g) la joie intérieure et une satisfaction ôtant tout désir de consommer des excitants (café, tabac, alcool) ;

h) le pouvoir de concentration s'améliore, car l'appareil di-gestif n'est pas encombré par un petit déjeuner lourd. Souvenez-vous que la digestion accapare 70 % de l'éner-gie nerveuse disponible ;

i) meilleure résistance au « stress » ;

j) la composition sanguine s'améliore. Par la multiplication des cellules du derme due à la meilleure irrigation des tissus sous-cutanés, le teint devient rosé, sans éruptions.

Eczéma, furoncles, dartres disparaissent ;

k) les cheveux redeviennent souples, vivants. Le docteur Kollath signale même des cas où l'emploi régulier de cette formule de déjeuner a éliminé le grisonnement et permis le retour à la teinte normale des cheveux ;

l) les ongles deviennent luisants, cessent d'être cassants ;

m) la dentition s'améliore. Le docteur Kollath signale des cas où la parodontose, affection sans remède connu à ce jour, a été non seulement stoppée, mais a rétrogradé. Les dents déchaussées se raffermissent dans leurs alvéoles, d'après les constatations du docteur H. Netter,

n) le squelette se renforce, rendant les fractures moins faciles et assurant une soudure plus rapide en cas d'accident.

Céréales et fruits s'harmonisent bien dans le petit déjeuner Kollath. L'arôme de la farine frais moulue s'allie au parfum éthéré des fruits. Préparé avec amour, ce déjeuner devient une friandise en variant sa composition suivant l'inspiration et les fruits de saison. Les fruits ajoutent à la céréale leur juteuse fraîcheur et, en excitant les glandes salivaires, permettent une meilleure préparation du bol alimentaire dès leur séjour dans la bouche, donc une meilleure assimilation avec une dépense d'énergie moindre. Les vitamines du complexe B de la farine fraîche s'ajoutent aux vitamines des fruits. Les acides organiques des fruits frais sont neutralisés par les hydrates de carbone de la céréale.

La préparation est simple et facile, sans complications ni cuisson, le matin, moment où les minutes sont souvent le plus comptées. Faites un essai loyal durant quelques semaines et voyez les résultats !

Les puristes diront que cette combinaison alimentaire est incorrecte, mais pourtant elle a fait ses preuves. Si vous le voulez, vous pouvez éventuellement supprimer les fruits... D'autre part, on a intérêt à supprimer même le sucre de canne non raffiné et ne consommer le miel qu'avec parcimonie.

mangez du blé

Chaque race humaine s'est bâtie sur une céréale. Pour l'Asiatique c'est le riz, pour l'Occident le froment et le seigle. La céréale complète est l'aliment vital par excellence et le petit déjeûner Kollath vous en apporte déjà une ration. Voici un autre mode de préparation du froment, l'un des plus anciens, plus vieux encore que la panification : c'est la bouillie de céréales ou le « porridge ».

Même à l'heure actuelle, les trois quarts de l'humanité se nourrissent encore de bouillies de céréales. Notre bouillie se composera de froment cuit à l'eau pure ou additionnée de lait. Nous allons donc faire appel à ce vieil ami de l'homme, le feu. La chaleur ne risque-t-elle pas de détruire des éléments vivants contenus dans le blé ? Le risque est minime, car il faut dépasser une température de 160° pour produire des altérations importantes, or, dans la cuisson à l'eau à l'air libre la température ne peut, par définition, dépasser 100° C, donc bien en dessous du seuil critique.

Il est indispensable d'utiliser de la farine fraîche, moulue au moment de l'emploi, ce qui n'est plus un problème grâce au moulin à café électrique dont chaque ménage dispose. La farine doit s'utiliser aussitôt, sinon les substances les plus précieuses et les moins stables s'oxydent et se dégradent.

Voici comment il faut procéder :

Dans un bol d'eau chaude, diluer une cuillérée à soupe de sucre de canne non raffiné, ajouter une cuillerée à soupe d'huile de tournesol, de maïs, de soja ou autre huile de qualité, de première pression à froid. Pas de sel. Bien mélanger à l'aide d'une fourchette et battre le liquide. Puis verser la farine et le contenu de la tasse dans un poêlon. Les proportions d'eau et de farine seront telles, que le mélange sera plutôt liquide au départ ; il s'épaissira durant la cuisson.

Amener lentement à ébullition, ce qui donnera de la consistance à votre bouillie et faire cuire en remuant durant 10 minutes au moins ; ajouter de l'eau quand la bouillie s'épaissit trop et risque d'attacher au fond du récipient. La bouillie cuite sera lisse, onctueuse. Après cuisson, ajoutez au choix des raisins secs, des amandes, des noisettes pilées, de la noix de coco râpée, etc., ce qui permet de varier le goût à l'infini.

Si vous le désirez, édulcorez davantage au sucre de canne, à la mélasse, au miel, ou bien au sirop d'érable ou de poires.

Ce mets délicieux, nutritif, vous donnera la sensation d'avoir ingéré un « bon » repas, bien que la quantité de froment utilisée soit minime.

Les enfants raffolent de cette bouillie et la préfèrent aux préparations commerciales vantées à base de cacao, de farine blanche et de sucre.

Essayez et vous m'en direz des nouvelles !

Bon appétit !

POUR CONCLURE...

Ce livre,
qui semble en opposition avec le principe
de l'initiation yogique,
— la transmission directe de Maître à disciple —
ne prétend pas enfermer tout le yoga en quelque 300 pages.
Il permet cependant d'assimiler,
tout seul et sans danger,
la technique correcte de la respiration yogique,
de la relaxation et des principales âsanas,
qui apportent la santé dynamique et la joie de vivre...

Les Maîtres sont-ils dépassés, inutiles ?
Certes pas.
L'adage yogique « Quand le disciple est prêt, le Maître paraît »
demeure vrai, aujourd'hui comme voici quatre mille ans.
Il incombe à l'adepte de se préparer,
par son travail personnel,
à recueillir avec fruit le message de son Maître,
quand viendra l'heure de la rencontre.
Ce livre permet d'accomplir cette préparation.

Les professeurs de yoga sont-ils superflus ?
L'auteur — qui enseigne dans son Institut à Bruxelles —
estime, au contraire, que cet ouvrage valorise les vrais professeurs,
car ceux-ci apportent infiniment plus :
ils guident leurs élèves sur la voie du yoga intégral,
bien au-delà des âsanas.

Avant de nous quitter, citons encore Swami Sivananda :
« Une once de pratique vaut mieux que des tonnes de théorie ».

TABLE DES MATIERES

Du même auteur, disponible chez Flammarion

JE PERFECTIONNE MON YOGA ...

Perfectionner le yoga ne consiste pas à le compliquer, mais à le rendre plus efficace. L'ouvrage révèle les techniques secrètes de Kaya Kalpa, la méthode yogique de rajeunissement du corps. Inconnus en Occident, d'une extraordinaire efficacité, ces procédés millénaires sont à la portée de chaque adepte, même débutant : ils ne sont ni difficiles ni dangereux. Le yoga considère le sommeil profond, réparateur, à la fois comme l'indice et comme l'une des bases de la santé parfaite. Le livre expose les procédés éprouvés pour acquérir ce sommeil idéal et pour se libérer des somnifères. De nombreuses âsanas, dont certaines peu connues, sont étudiées en détail avec leurs effets et leurs contre-indications. Elles intéressent tout autant le néophyte que l'adepte plus avancé. Le volume renferme des exercices de concentration mentale et aborde la méditation, source de joie et de sérénité.

André Van Lysebeth

Je perfectionne mon YOGA

Flammarion

PRANAYAMA
La Dynamique du Souffle

L'OPINION DE JEAN HERBERT :

Dans cet ouvrage, le grand spécialiste qu'est André Van Lysebeth a le courage d'aborder un sujet aussi difficile que délicat, celui du prânayâma. Les auteurs occidentaux qui l'ont traité avant lui, n'ont fait preuve que d'une connaissance superficielle. Quant aux yogis hindous qui ont écrit sur le sujet, ils s'adressaient à des lecteurs indiens ayant déjà une formation préalable et vivant dans un milieu favorable à la pratique des exercices décrits. Les traductions faites de leurs ouvrages dans des langues européennes ne correspondaient certainement pas aux instructions qu'ils auraient données à des disciples occidentaux agréés par eux. Ceux qui ont écrit directement en anglais se sont prudemment bornés à des généralités. Ne parlons pas des textes sanskrits anciens sur lesquels s'appuie tout enseignement authentique du prânayama, car ces textes sont intentionnellement hermétiques, afin qu'ils ne puissent être compris et appliqués qu'avec l'aide constante de maîtres techniquement et moralement compétents. Dans le présent ouvrage, André Van Lysebeth traite à la fois de la théorie et de la pratique du prânayâma. En ce qui concerne la théorie, il donne pour la première fois dans une langue européenne une description authentique, structurée, compréhensible pour nous et aussi complète que possible de ce qu'est le prâna, accompagnée de renseignements nécessaires sur les nâdis, les chakras, etc. (Extrait de la préface)

338

MA SEANCE DE YOGA

André Van Lysebeth

Ma séance de
YOGA

Flammarion

Tandis que *J'apprends le Yoga* se borne délibérément à la description détaillée d'un nombre limité d'âsanas, *Ma séance de Yoga* toujours aussi clair, précis et pratique, apporte une variété d'âsanas et de techniques yogiques à l'usage du néophyte ou de l'adepte plus avancé.

L'ouvrage inclut des indications fondamentales pour la pratique du yoga en général ainsi que des schémas de séances de yoga à l'intention des pratiquants, débutants ou adeptes expérimentés.

La majeure partie du livre est consacrée à la description détaillée de près de 50 âsanas et exercices divers, à la fois par le texte et par l'image. L'ouvrage comporte près de 200 photos relatives aux postures ! Il constitue un guide indispensable à tout adepte occidental du yoga.

Pour aider le lecteur, le livre lui propose une série de séances-type : une séance anti-lombalgies, une anti-stress, trois préparations-type et des séries destinées aux adeptes de tous les niveaux : série légère courte, une autre plus complète ; une série moyenne équilibrée vers l'avant, la suivante vers l'arrière ; puis une séance de perfectionnement vers l'avant, une autre vers l'arrière ; plus une séance de perfectionnement général.

TANTRA
le culte de la Féminité
l'autre regard sur la vie et l'amour

Cet ouvrage d'André Van Lysebeth sera-t-il le « classique »
du tantra, comme le sont ses livres sur le yoga ? Ce n'est pas

exclu. Mais, le tantra
c'est quoi, au juste ? Né
en Inde voici plusieurs
millénaires, il nous ap-
porte une vision du
monde, à la fois neuve
et archaïque, exotique
et déroutante, quoique
si proche de nos ra-
cines profondes. Sans
être une religion, il
nous fait redécouvrir
l'aspect sacré, magique,
de la vie, du monde et
de l'amour.

Selon le tantra, l'uni-
vers naît de l'union
cosmique des principes
Mâle et Femelle, dont l'amour est l'expression sur le plan
humain. Il révèle ainsi la dimension cachée et sacrée de
l'union des sexes, qui cesse d'être banale, pour devenir une
méditation à deux. Il efface ainsi l'opposition factice entre le
sexe et le spirituel. L'auteur, qui refuse une vision réduction-
niste limitant le tantra à ses procédés permettant de prolonger et d'intensifier à volonté l'expérience érotique, révèle
néanmoins ces techniques de contrôle sexuel, jalousement
gardées secrètes par les initiés, et qu'il met à notre portée.

Bien-être, des livres qui vous font du bien

*Psychologie, santé, sexualité, vie familiale, diététique... :
la collection Bien-être apporte des réponses pratiques
et positives à chacun.*

Psychologie

Thomas Armstrong
Sept façons d'être plus intelligent -
n°7105

**Jean-Luc Aubert et Christiane
Doubovy**
Maman, j'ai peur – Mère anxieuse,
enfant anxieux ? - n°7182

Anne Bacus & Christian Romain
Libérez votre créativité ! - n°7124

Anne Bacus-Lindroth
Murmures sur l'essentiel – Conseils de
vie d'une mère à ses enfants - n°7225

Simone Barbaras
La rupture pour vivre - n°7185

Martine Barbault & Bernard Duboy
Choisir son prénom, choisir son destin -
n°7129

Deirdre Boyd
Les dépendances - n°7196

Nathaniel Branden
Les six clés de la confiance en soi -
n°7091

Sue Breton
La dépression - n°7223

Jack Canfield et Mark Victor Hansen
Bouillon de poulet pour l'âme - n°7155
Bouillon de poulet pour l'âme 2 - n°7241
Bouillon de poulet pour l'âme de la femme
(avec J.R. Hawthorne et M. Shimoff) - n°7251
Bouillon de poulet pour l'âme au travail -
(avec M. Rogerson, M. Rutte et T. Clauss) -
n°7259

Richard Carlson
Ne vous noyez pas dans un verre d'eau -
n°7183
Ne vous noyez pas dans un verre d'eau...
en famille ! - n°7219

Ne vous noyez pas dans un verre d'eau...
en amour ! *(avec Kristine Carlson)* -
n° 7243
Ne vous noyez pas dans un verre d'eau...
au travail - n° 7264

Steven Carter & Julia Sokol
Ces hommes qui ont peur d'aimer -
n°7064

Chérie Carter-Scott
Dix règles pour réussir sa vie - n°7211
Si l'amour est un jeu, en voici les règles -
n°6844

Loly Clerc
Je dépense, donc je suis ! - n°7107

Guy Corneau
N'y a-t-il pas d'amour heureux ? -
n°7157
La guérison du cœur - n°7244

Lynne Crawford & Linda Taylor
La timidité - n°7195

Dr Christophe Fauré
Vivre le deuil au jour le jour - n°7151

Daniel Goleman
L'intelligence émotionnelle - n°7130
L'intelligence émotionnelle 2 - n°7202

Nicole Gratton
L'art de rêver - n°7172

John Gray
Les hommes viennent de Mars, les
femmes viennent de Vénus - n°7133
Une nouvelle vie pour Mars et Vénus -
n°7224
Mars et Vénus, les chemins de
l'harmonie - n° 7233
Mars et Vénus, 365 jours d'amour -
n° 7240
Les enfants viennent du paradis -
n° 7261
Mars et Vénus ensemble pour toujours -
n° 7284
Mars et Vénus au travail - n° 6872

Santé

Diététique

Shakuntala Devi
Éveillez le génie qui est en votre enfant -
n° 7277

Brigitte Hemmerlin
Maman Solo - n° 7100

Harry Ifergan & Rica Etienne
6-12 ans, l'âge incertain - n° 6478
Mais qu'est-ce qu'il a dans la tête ? -
n° 7271

Vicki Iovine
Grossesse, le guide des copines - n° 7176

Hélène de Leersnyder
Laissez-les faire des bêtises - n° 7106

Gerry Marino
La nouvelle famille - n° 7122

Bernard Martino
Le bébé est un combat - n° 7181

Heather Noah
S'épanouir en attendant bébé - n° 7252

Nancy Samalin
Savoir l'entendre, savoir l'aimer -
n° 7062
Conflits parents-enfants - n° 7198

Chantal de Truchis-Leneveu
L'éveil de votre enfant - n° 7146

Cuisine

Flore Andreis-Caubet
La cuisine provençale d'aujourd'hui -
n° 6832

Paul Bocuse
Bocuse dans votre cuisine - n° 7145

Jean-Pierre Coffe
Comme à la maison –1 - n° 7148
Comme à la maison –2 - n° 7177
Le marché - n° 7154
Au bonheur des fruits - n° 7163

Christine Ferber
Mes confitures *(édition augmentée)* -
n° 6162
Mes tartes sucrées et salées - n° 7186

Mes aigres-doux, terrines et pâtés -
n° 7237

Nadira Hefied
130 recettes traditionnelles du Maghreb
- n° 7174

Peta Mathias
Fêtes gourmandes - n° 720

Christian Parra
Mon cochon de la tête aux pieds -
n° 7238

Jean-Noël Rio
Je ne sais pas cuisiner - n° 7273

Marie Rouanet
Petit traité romanesque de cuisins -
n° 7159

Denise Verhoye
Les recettes de Mamie - n° 7209

Harmonie

Karen Christensen
La maison écologique - n° 7152

Lama Surya Das
Éveillez votre spiritualité - n° 7281

Karen Kingston
L'harmonie de la maison par le Feng
Shui - n° 7158

Philip Martin
La voie zen pour vaincre la dépression -
n° 7263

Jane Thurnell-Read
Les harmonies magnétiques - n° 7228

Jean Vernette & Claire Moncelon
Les nouvelles thérapies - n° 7220

Richard Webster
Le Feng Shui au quotidien - n° 7254

Christine Wildwood
L'aromathérapie - n° 7192

Paul Wilson
Le principe du calme - n° 7249

Le grand livre du calme – La méthode -
n° 7249
Le grand livre du calme – Au travail -
n° 7276

Nature et loisirs

Sonia Dubois
La couture - n° 7144

John Fisher
Comprendre et soigner son chien -
n° 7160

Daniel Gelin
Le jardin facile - n° 7143

Louis Giordano
Aux jardiniers débutants : 500 conseils
et astuces - n° 7215

Marjorie Harris
Un jardin pour l'âme - n° 7149

Jean-Marie Pelt
Des fruits - n° 7169
Des légumes - n° 7217

Roger Tabor
Comprendre son chat - n° 715